Groß, gelb, gelassen: mit berückender Selbstverständlichkeit liegt eines Nachts ein Löwe im Arbeitszimmer des angesehenen Philosophen Blumenberg, die Augen ruhig auf den Hausherrn gerichtet. Der gerät, mit einiger Mühe, nicht aus der Fassung, auch nicht, als der Löwe am nächsten Tag in seiner Vorlesung den Mittelgang herabtrottet. Die Bänke sind voll besetzt, aber keiner der Zuhörer scheint den Löwen zu sehen. Ein raffinierter Studentenulk? Oder nicht doch eine Auszeichnung von höchster Stelle – für den letzten Philosophen, der diesen Löwen zu würdigen versteht?

»Enorme Sprachkunst, feiner Witz und metaphorische Vertracktheit.« *Matthias Waha, Süddeutsche Zeitung*

Sibylle Lewitscharoff, 1954 in Stuttgart geboren, lebt in Berlin. Ihr Werk wurde vielfach ausgezeichnet, u. a. mit dem Ingeborg-Bachmann-Preis 1998, dem Preis der Leipziger Buchmesse 2009, dem Berliner Literaturpreis 2010 sowie dem Georg-Büchner-Preis 2013. Zuletzt erschienen von ihr die Romane *Apostoloff* (st 4180), *Consummatus* (st 4230) und *Montgomery* (st 4321) sowie *Vom Guten, Wahren und Schönen. Frankfurter und Zürcher Poetikvorlesungen* (es 2649).

Sibylle Lewitscharoff
Blumenberg

Roman

Suhrkamp

Umschlagabbildung: Liegender Löwe,
Zeichnung von Rembrandt Harmensz. van Rijn,
um 1640, Musée du Louvre, département des Arts graphiques,
Foto: bpk, Berlin

4. Auflage 2013

Erste Auflage 2013
suhrkamp taschenbuch 4399
© Suhrkamp Verlag 2011
Suhrkamp Taschenbuch Verlag
Druck: CPI – Ebner & Spiegel, Ulm
Umschlag: Göllner, Michels, Zegarzewski
Printed in Germany
ISBN 978-3-518-46399-4

Blumenberg

Für Bettina Blumenberg

Der Löwe I

Blumenberg hatte gerade eine neue Kassette zur Hand
genommen, um sie in das Aufnahmegerät zu stecken, da
blickte er von seinem Schreibtisch auf und sah ihn. Groß,
gelb, atmend; unzweifelhaft ein Löwe. Der Löwe sah zu
ihm her, ruhig sah er zu ihm her aus dem Liegen, denn der
Löwe lag auf dem Bucharateppich, in geringem Abstand
zur Wand.

Es mußte ein älterer Löwe sein, vielleicht nicht mehr
ganz bei Kräften, aber mit der einzigartigen Kraft begabt,
da zu sein. Das erkannte Blumenberg zumindest auf den
zweiten Blick, während er noch um Beherrschung rang.
Nur nicht die Fassung verlieren, gerade in diesem Falle
nicht, sagte sich Blumenberg, vielleicht geriet der Satz
weniger korrekt, obwohl Blumenberg auch beim Finden
von Sätzen im Kopf eine eiserne Disziplin zu wahren
pflegte, weil er sich daran gewöhnt hatte, geordnet und
nicht etwa überstürzt sich Sätze zurechtzulegen, und
zwar fast so geordnet, wie er gemeinhin sprach, ob er nun
ein empfangsbereites Aufnahmegerät vor sich hatte oder
die Ohren eines Kindes.

Blumenberg wußte sofort, daß hier viel falsch zu machen war und nur eines richtig: abwarten und die Fassung behalten. Er wußte auch, daß in Gestalt des Löwen
eine außerordentliche Ehre ihm widerfuhr, gleichsam
eine Ehrenmitteilung der hohen Art war überbracht wor-

den, von langer Hand vorbereitet und nach eingehender Prüfung ihm gewährt. Man traute Blumenberg offenbar zu, daß er in seinem schon etwas höheren Alter leichterdings damit fertig würde.

Kurios war nur, daß vom Löwen gar nichts Undeutliches, Verschwebtes, Löwen- und Luftatomvermischtes ausging; seine Umrisse zitterten nicht im Her und Hin der wellendurchlaufenen Gedanken Blumenbergs; es blitzten keine löwenköpfigen Spiegelneuronen und bewimmelten das kristalline Geflirr einer Halluzination. Der Löwe war da. Habhaft, fellhaft, gelb.

Obwohl er sich selbst ermahnte, ein unerschütterliches Vorbild der Ruhe abzugeben, raste sein Herz. Ein Löwe! Ein Löwe! Ein Löwe!

Natürlich hatte er keine Angst vor ihm. Wie ein entsprungener Zirkuslöwe sah er nicht aus. Zum einen deckte Blumenberg der große schwere Schreibtisch, hinter dem er saß, zum anderen lag dieser Löwe vollkommen ruhig da und gebärdete sich keinesfalls wie ein beunruhigtes entlaufenes Tier oder gar wie ein nervöser Christenfresser. Blumenberg bekam Lust zu sagen: Ich bin katholisch, du kannst mich ruhig fressen, aber er behielt diese Frivolität lieber für sich und sah nun seinerseits mit einer Miene, die abwartende Höflichkeit signalisieren sollte, aber doch ein wenig zu neugierig geriet, auf den Löwen. Vielleicht wirkte es auf den Löwen aufstachelnd, wie er ihn ansah, dachte Blumenberg, denn er wußte um seinen brennenden Blick.

Die bierfarbenen Augen des Löwen musterten ihn unverwandt in versammelter Löwenruhe, das heißt, sie musterten ihn nicht wirklich, sie sahen eher durch Blumenberg hindurch auf etwas, was hinter ihm, vielleicht hinter der Bücherwand, vielleicht hinter der Mauer des Hauses, vielleicht hinter Altenberge und der Stadt Münster im Jahre 1982 in weiter Zeitenferne lag.

Sein Herz klopfte noch immer wie ein außer Kontrolle geratenes Apparätchen.

Mit einem Löwen zu konversieren, das hatte Blumenberg nicht geübt. Bisher hatte es ja keine Gelegenheit gegeben, solches zu tun. Mit seinem geliebten Axel zu sprechen, dem weißhaarigen Collie, war Blumenberg immer leichtgefallen. Axel war ihm auf Schritt und Tritt überall hin gefolgt, ihm in sein fülliges langes Brustfell zu fahren und ihm den Hals zu kraulen war für Blumenberg ein Vergnügen gewesen, während dessen er ganz ungezwungen, fast wie ein kindischer Liebhaber, wie narrisch mit dem Hund gesprochen hatte, wenn auch – gemessen an anderen Hundeliebhabern – bemerkenswert korrekt.

Blumenberg zweifelte, ob mit dem Löwen eine Konversation überhaupt möglich sein würde. Es ging ja nicht hin, daß er nun aufstand, um dem Löwen in die Mähne zu fahren und diese tüchtig zu walken. Der Löwe schien einer zärtlichen Handlung in keiner Weise bedürftig. Obwohl er keine Angst verspürte, war Blumenbergs Respekt vor dem Tier groß.

Der Löwe ist zu mir gekommen, weil ich der letzte Philosoph bin, der ihn zu würdigen versteht, dachte Blumenberg. Bei diesem Gedanken überkam ihn ein flaues Gefühl, er mußte für einen Moment die Augen schließen vor so viel Größe, die ihm von lässiger Hand auf den Teppich gelegt worden war, eine Herausforderung der Nacht, spät, um Viertel nach drei, wie ein Blick auf die Uhr ihm bewies, als er die Augen wieder öffnete.

Weder ein Ruch noch ein Ungeruch ging von dem

Löwen aus, der Löwe roch dezent nach Löwe, für jemandes Nase, der Löwen liebte und nach einem Zoobesuch den Löwengeruch zurückzurufen sich mühte, vielleicht gerade noch spürbar. Blumenberg konnte zwar mit Fug von sich behaupten, ein Liebhaber der Löwen zu sein, aber der Löwengeruch hatte ihn bisher nicht gekümmert. Die verwegene und doch nurmehr wie obenhin verschwebende geruchliche Schärfe, die seine Klause zu füllen begann und die in einem Atemzug hereinwehte und beim nächsten sich wieder verlor, erregte Blumenbergs Sinne.

Gedanken bestürmten ihn mit Macht, in nie gekannter Plastizität; es war, als wären alle Laden seines Panzerschranks aufgefahren und die darin verwahrten sechsunddreißigtausendsechshundertsechzig maschinenbeschriebenen Karteikarten flögen daraus wie sprühend hervor, aber nicht in ihrer kartonierten Form, sondern als von den Buchstaben und Vermerken abgelöste und in seinen Kopf hineindrängende Bildhäutchen.

Ruhe bitte. Besonnenheit. An den Nerv eines Bildes, an den Nerv eines Problems kommt man nur heran, wenn man das einzelne Bild, das einzelne Problem geruhsam sich vorlegt und prüft. Wer war der Löwe? Infolge der Abwehr, die er gegen die Bilderflut sich aufzubauen mühte, verspürte Blumenberg eine leichte Überreiztheit.

Agaues falscher Löwe. Die Fabel vom Hoftag des Löwen. Der Löwe des Psalmisten, brüllend. Der aus dem Lande Kanaan für immer verschwundene Löwe. Das Symboltier des Evangelisten Markus. Maria Aegyptiaca und ihr Begleitlöwe. Das fromme Tier des Hieronymus im Gehäus. Wer war der Löwe?

Sein Gedächtnis sollte die Bibel im Schnellauf durchforsten, da doch der Löwe darin seine aufgepflanzten und wieder abgebrochenen Merkzeichen hat; den Befehl dazu gab sich Blumenberg. Aber er mußte sich eingestehen, daß sein Gedächtnis, das normalerweise tadellos funktionierte, besser als bei jedem ihm bekannten Menschen, ausgerechnet jetzt zu einer gründlichen Sichtung des Löwenproblems nicht in der Lage war.

Obwohl erst wenige Augenblicke seit dem Auftauchen des Tieres verstrichen waren, hatte Blumenberg schon Vertrauen zu dem Löwen gefaßt; dabei war noch gar nicht abzusehen, was sich für eine Beziehung zwischen ihnen entwickeln würde, ob von Dauer oder nicht. Erstaunlich, daß ich schon die Hoffnung in mir keimen sehe, unsere Beziehung könnte währen, dachte Blumenberg. Für einen Moment bildete er sich ein, der Löwe, dessen Maul ein wenig nur geöffnet war, lächle.

Sein Alter? Der Löwe war alt, uralt sogar, bestimmt älter, als ein Löwe in der freien Wildbahn je wurde. Blumenberg stellte es mit Bedauern fest. Die Mähne des Tieres, in jungen und mittleren Jahren mochte sie stattlich gewesen sein, jetzt wirkte sie zerrupft. Das Rückgrat trat hervor und sackte ein wenig durch, lange dunkle Tränenrinnen führten von den Augen des Löwen seitlich nach unten; allein, wie er atmete und dabei jedesmal sein Bauch sich verzog, als befiele ihn ein kleiner Krampf, war besorgniserregend.

Der Löwe wird doch nicht gekommen sein, um auf meinem Teppich zu verenden? dachte Blumenberg bestürzt. Höhererseits wollte man ihn foppen und hatte ihm deshalb diesen Rohrkrepierer von einem Löwen geschickt. Rasch, wie er aufgezuckt war, verschwand der Gedanke wieder. Nein, Blumenberg empfand Sympathie für den Löwen, und als er sich dies eingestand, vertraute er sogleich auf die erkenntnisfördernde Kraft der Sympathie. Urplötzlich fühlte er sich in eine anheimelnde Selbstwärme gehüllt, ein Gefühl, das von Selbstüberhebung nur geringfügig sich unterschied. Er war der exemplarische Asket, der seinen Löwen verdient hatte. Nacht für Nacht für Nacht gearbeitet, sagte sich Blumenberg voller Stolz, und der Dank, der ihm jetzt blühte, war der Löwe.

Wie Maria Aegyptiaca sich zu fühlen war ihm unmöglich. Es fehlte die Wüste, es fehlten die Ausschweifungen und Gelage, denen sich diese sehr spezielle Maria früher hingegeben hatte, und natürlich die Umkehr. Blumenberg hatte sich solchen Leibextremismen nie hingegeben, er hatte nicht umkehren müssen, und er war keine Frau. Auch war ihm die Vorstellung unsympathisch, mit ausgedörrten Gebeinen in der Wüste zu liegen, über sich einen Löwen als Grabwächter.

Agaue? Unsinn! Den eigenen Sohn als Löwen mißkennen und ihn zerreißen im bacchantischen Wahn, zu so etwas konnte sich nur eine im wilden Griechenland aufgekommene Frau hinreißen lassen, präziser: die Zuspitzung der Frau: die antike Mutter.

Obwohl der Löwe da vor ihm keineswegs träumte und sein breitnasiges Haupt zweifellos echt war und nicht etwa heimlich der Kopf einer Katze (auch schaute dieser Löwe immer weiter durch ihn hindurch), so bemächtigte sich des Philosophen doch allmählich ein friedliches Gehäusgefühl. Er rief sich den berühmten Kupferstich von Dürer ins Gedächtnis. Zwar fehlte in seiner, Blumenbergs, Klause das Stundenglas, durch das der Sand rann, es fehlte das Pult, es fehlten die Butzenscheiben und der Totenschädel auf dem Fensterbrett, und anstelle der Täfelung aus warmem Holz gab es bis an die Decke reichende Bücherregale und Teppiche, aber eine Klause in stupender Abgeschiedenheit von den übrigen Teilen des Hauses war es doch. Außerdem herrschte Nacht. Die Stunden der radikalen Abkehr vom weltlichen Getriebe, in denen sich höchstens einige Schlaflose herumwälzten und nur sehr wenige Menschen ihre Dienste versahen.

Trotzdem kamen Blumenberg Zweifel. Wenn er jetzt ganz fest die Augen schloß und auf sechzig zählte – er hatte sich angewöhnt, solches Abzählen durch ein winziges Aufzucken der Finger zu bewerkstelligen – und dann die Augen wieder öffnete, war der Löwe womöglich verschwunden. Ein Trugbild, weiter nichts.

Blumenberg schloß tatsächlich die Augen, zählte aber in der Verwirrung nicht bis sechzig, sondern versehentlich nur bis achtundfünfzig, wobei es ihn hart ankam, die Augen so lange zuzupressen.

Augen auf. Der Löwe war da.

Blumenberg bekam Lust, seinen Platz hinter dem Schreibtisch einmal zu verlassen. Draußen leuchtete der Mond. Vor den langgestreckten Fenstern zeigten sich die schwarzen Gerippe der Rosenstöcke. Vielleicht sollte er einen Fensterflügel öffnen und auf diese Weise mit allem ins Freie kommen.

Ob trotz augenscheinlicher Gutartigkeit der Löwe ihm etwas antun könnte, ob es gefährlich war, ihm den Rücken zuzudrehen? überlegte Blumenberg, als er wie in Zeitlupe vom Stuhl sich erhob, seinen Schreibtisch halb umrundete und langsam, viel langsamer als gewöhnlich, zum Fenster ging.

Gefährlich? Nein, wohl nicht. Einige Sekunden stand Blumenberg am Fenster und sog die kühle Nachtluft ein, allerdings mit angespanntem Rücken. Als er sich wieder herumdrehte, war der Löwe immer noch da.

Zeit, eine Flasche Bordeaux zu öffnen. Das Ereignis mußte gefeiert, auf das Erscheinen des Löwen Wein getrunken werden. Mit dem gefüllten Glas blieb Blumenberg allein, in seinem Arbeitszimmer hätte er vergeblich nach einem Gastglas gesucht. So hauspossierlich war der Löwe nun wieder nicht, daß er ein Glas in der Pfote hätte halten können, um es auf Blumenbergs Wohl zu lüpfen.

Der Löwe, der, wie ihm schien, den Kopf inzwischen ein klein wenig gesenkter hielt, aber immer noch ungerührt durch ihn hindurchblickte, belegte sechzehn, siebzehn, oder waren es neunzehn? Elefantentapfen auf dem Bucharateppich, der als eines der wenigen Besitzstücke aus dem Erbe des Vaters auf ihn gekommen war. Indem sich der Löwe diese wärmende Unterlage für sein Liegen ausgesucht hatte, betrug er sich wie ein Haushund. Er hat Sinn für Symmetrie, dachte Blumenberg, weil sich der Löwe ziemlich exakt in die Mitte gelegt hatte, obendrein scheint er Sinn für Ästhetik zu besitzen. Der Teppich war das kostbarste Objekt in Blumenbergs Arbeitszimmer, mit hellen Tapfen inmitten von Weinrot und blaugrünschwarzen Farbabstufungen – wirklich ein exquisites Stück.

Obwohl es an seinem Arbeitszimmer nichts auszusetzen gab, bedauerte sich Blumenberg, daß er keinen so glorreichen Raum zur Verfügung hatte, wie ihn Antonello da Messina gemalt hatte. Das Bild, vom italienischen Meister starkschattig nach Art der Niederländer angelegt, führte Blumenbergs Gedächtnis, das jetzt wieder tadellos funktionierte, mit fabelhafter Präzision heran: der Blick fällt durch eine steinerne Öffnung, auf der

Brüstung ein Pfau, eine Kupferschüssel, eine Wachtel. Im prächtigen Innenraum ein Treppchen, eine, zwei, drei Dreifaltigkeitsstufen empor auf eine Bühne. Der heilige Gelehrte im fließenden roten Samtgewand und roter Samtmütze, mit langen Armen in einem Buch blätternd, das auf einer Art Sitzpult mit abgeschrägter Fläche vor ihm aufgeschlagen liegt. Links ein zauberischer Fensterausblick. Eine Hügellandschaft mit vereinzelten Zypressen. Und rechts, hinter der Bühne des Gelehrten, aus dem Dunkel auftauchend, ein spilleriger Löwe. Nein, nicht mit Löwenbeinen und breiten Tatzen, sondern mit dünnen Rennbeinchen versehen wie ein Windhund. Wahrscheinlich hatte Antonello nie einen Löwen zu Gesicht bekommen.

Blumenberg liebte das Bild. Diese würdigen, einsamen Figuren, die mit wenigen Büchern auskamen, weil sie offenbar die immerselben, allen voran natürlich die Bibel, wieder und wieder studierten; ihre opulent ausstaffierten Zimmer mit den Schmuckblicken in ein wohlgeordnetes Draußen, die Einsamkeit ins glorios Behagliche rückend! Das bühnenhafte Arrangement, die Erhöhung der Schauseite, diente dazu, den Gelehrten vom Fliesenboden, diesem kunstvoll verwirtschafteten Boden, zu lösen, als sei er von der Schwerkraft minder abhängig, als sei sein Boden nicht gemeiner Lebensboden, sondern Geistboden, über dem sich die Gedanken weit und weiter emporrafften. Sollte in seinem roten Gewand die Herzenserhebung des gelehrten Eremiten angezeigt worden sein? Nicht mitgemalt war natürlich der Durchzug, der zwischen der großen Öffnung vorne und den Fensterhöhlungen hinten im Mittagsglast hätte herrschen und die herumliegenden Papiere ins Segeln und Trudeln bringen müssen. Den lustigen Löwen stellte sich Blumenberg für einen Moment als Papierjäger, Papierschnapper vor, brach die Sätze, die sich in ihm dazu formen wollten, aber gleich wieder ab, weil er sich nicht im Albernen verlieren wollte.

Zurück zum eigenen Löwen. Trotz dessen denkwürdigen Erscheinens, das sich vor einer halben Stunde erst zugetragen hatte, hielt Blumenberg es für angezeigt, auf keinen Fall, nicht einmal in diesem Extremfall, da ihm das Herz noch immer bis zum Halse schlug, auf seine Gewohnheiten zu verzichten. Immerhin hatte ihn der Löwe so durcheinandergebracht, daß er seiner Sekretärin nicht das übliche Quantum hatte diktieren können; das genügte als Abweichung von der Regel. Er packte die eine vollgesprochene Kassette in einen Umschlag, ließ sich – Löwe hin, Löwe her – nicht darin beirren, gut lesbar, wenn auch ein klein wenig zittrig, die Adresse der Universität darauf zu schreiben, ihn mit einer Marke zu versehen, griff nach seinem Mantel und ging, mit einem verhaftenden Blick auf das Tier, als wolle er es auf dem Teppich festnageln, zur Gartentür hinaus.

Draußen zündete er sich eine Zigarette an: auch gegen die Regel, denn für gewöhnlich legte er den Weg zum Briefkasten und wieder nach dem Haus im Sturmschritt zurück, Rauchen hätte da nur Zeit gekostet. Diesmal ging er zwar aufgeregt durch die spärlich erleuchteten Straßen – wie üblich war um diese Zeit kein Mensch unterwegs, selbst die geparkten Wagen unter den Lichtglocken der Laternen schienen zu schlafen –, ging aber doch langsamer als sonst, um an der Nachtluft noch einmal in Ruhe zu überprüfen, was ihm in der letzten Stunde widerfahren war.

Ich bin in einen Hinterhalt gelockt worden, dachte er,

man hat mich mit einem fundamentalen Schwindel konfrontiert, um meine geistigen Kräfte zu testen.

Als er zurückkehrte, fehlte der Löwe.

Blumenberg behielt die Hand lang auf der Klinke der
inzwischen geschlossenen Gartentür. Hatte er es mit einem Fabellöwen zu tun bekommen, dem *abwesenden
Löwen*, der nicht zu dem gehörte, was der Fall ist, also nie
und nimmer zur Welt? Aber, aber, dachte Blumenberg,
dieser ganz andere weltabweisende Löwe kommt doch *in
etwas* vor und ist damit auf eine neue und andere Art *der
Fall*. Die Sprachspiele der Weltbenenner holen den Löwen ins Dasein und Leben zurück, murmelte er leise vor
sich hin.

Zufrieden mit dem Wort *Weltbenenner*, welches er um-
standslos auf sich münzte, ging Blumenberg zu Bett.

Coca-Cola

Wie üblich wachte Blumenberg gegen halb zwölf Uhr auf. Von den Träumen wußte er nur noch, daß ihm der Vater eine afrikanische Briefmarke geschenkt hatte, ein Löwe mit hochgebogenem Quastenschwanz als Motiv darauf. Mit einer Pinzette war ihm die Marke überreicht worden, in Zeitlupe von der großen Vaterhand in die Kinderhand wechselnd. Nein, nicht ganz. Eine Traumlähmung hatte ihn befallen, die Bewegung kam zum Erliegen, seine Kinderhand konnte die Pinzette nicht greifen, und dies Verharren regte den Träumer derart auf, daß er erwachte, aber umgehend wieder einschlief.

Vom Schlaf hatte er dennoch eine gewaltige Portion Trost empfangen; er fühlte sich gut wie selten und bekam sogar Lust, wieder wie früher – flott, flott – den Ball über ein Tennisnetz zu schlagen, wobei er probeweise die Arme auf Brusthöhe hob und die Ellenbogen nach hinten stieß. So tatendurstig hatte er sich seit Jahren nicht mehr gefühlt. In seinen Beinen kribbelte die Lust, einem Ball nachzujagen; er sah aufstäubenden roten Sand und hörte das helle Plopp, wenn der Schläger den Ball traf, und das dunklere Geräusch, wenn der Ball in den Sand geschleudert wurde. Er fragte sich, ob es wirklich eine weise Entscheidung gewesen war, das Leben eines extremen Stubenhockers mit rostenden Knochen zu führen. Da durchzuckte ihn ein Schmerz im linken Bein, genau an der Stelle, an der er sich einst eine Muskelzerrung zugezogen hatte, als er unglücklich auf einen Ball gesprungen und hingefallen war.

Bevor er den ersten Kaffee trank, den Bademantel auszog und sich für die Tagesgeschäfte ankleidete, schaute er im Arbeitszimmer nach dem Löwen. Kein Löwe, nirgends. Was weiter nicht verwunderlich war, denn es herrschte ja heller Tag, ein strahlend heller Maitag, an dem alles leuchtete wie neu geschaffen und nur berührbare Dinge ans Licht traten.

Die halb geleerte Flasche Wein, das Glas standen noch da. Blumenbergs Nasenflügel weiteten sich; nachdem er einige Male schnuppernd hin und her gewandert war, wollte es ihm so vorkommen, als hinge noch eine Restschwade vom Löwengeruch im Zimmer. Er öffnete zwei Fenster und starrte auf die heftig von Bienen angeflogenen Rosenstöcke.

Seine Vorlesung heute handelte von der Trostbedürftigkeit des Menschen bei dessen gleichzeitiger Trostunfähigkeit. Pünktlich um 14 Uhr 15 betrat er den Saal im Münsteraner Schloß durch eine Seitentür. Die Bänke waren vollgepackt, sie füllten sich gerade mit den letzten Nachzüglern. Blumenbergs Blick fiel auf das Pult; in seiner Miene zeigte sich Ekel. Sechs leere Coca-Cola-Flaschen standen dort, um ihn zu verhöhnen. Absichtlich da hingestellt oder unabsichtlich stehengelassen, sie standen da als Provokation. Blumenberg legte Homburg und Mantel ab, stellte seine Tasche auf die langgezogene Theke, die das Pult von beiden Seiten flankierte, und überlegte, was zu tun sei. Kein Wort würde er darüber verlieren. Um möglichst wenig hauteigene Berührungsfläche mit dem verklebten Objekt gemein zu haben, ergriff er die erste Flasche mit spitzem Daumen und Zeigefinger und trug sie zur hofseitigen Fensterbank.

Die Trostbedürftigkeit des Menschen ist umfassend, sagte Blumenberg mit leicht näselnder Stimme, während er sich umwandte, zum Pult spazierte und mit der zweiten Flasche auf dieselbe Weise verfuhr: Die Anstrengungen, die von Menschen unternommen werden, Menschen zu trösten, sind immens, aber selten erfolgreich.

In dem altehrwürdigen Saal breitete sich eine ungeheure Spannung aus, aber niemand wagte zu lachen.

Er sprach langsam und mit schneidender Präzision: Mit fragwürdigem Recht sind Trostbedürftigkeit und Trostfähigkeit unter den Schutz einer gewissen Verschämtheit gestellt, wie die Armut oder die Dummheit. Die Diskriminierung des Trostes schreitet unaufhörlich voran.

Inzwischen war er bei der dritten Flasche angelangt und erledigte das Wegtragen in solchem Gleichmaß, daß er sogar auf dieselbe Anzahl von Schritten bei jedem Hin- und Widergehen kam, auf exakt zweiundzwanzig.

Den Bauch der vierten Flasche mit spitzen Fingern im Griff, führte er aus, der Trost beruhe auf der allgemeinen Fähigkeit des Menschen zu delegieren, beruhe darauf, daß der Mensch nicht allein alles tun und tragen müsse, was ihm obliege und zufalle. Aber, sagte Blumenberg, und bei diesem Aber nahm er die fünfte Flasche, wir sind unfähig geworden, über das gewaltige Arsenal an Instrumenten für Trost und Vertröstung zu verfügen, das in der Geschichte der Menschheit aufgehäuft worden ist.

Dies gelte vor allem für die Deutungen der Welt, die keinen anderen Dienst zu leisten hätten als den, dem Menschen Trost zu bieten. Bei der Rückkehr vom Transport der sechsten Flasche sprach er mit einer Energie, als müsse er seine Definition mit dem Stichel in die Hirne der Zuhörer ritzen: Aller Verdacht gegen den Trost, alle Diffamierung von Trostbedürfnissen beruhen auf der Annahme, daß er eine Vermeidung von Bewußtsein sei.

Er öffnete seine Aktentasche und entnahm ihr ein Bündel Karteikarten und einige Manuskriptblätter, die er seelenruhig auf der Theke ausbreitete: Sie, meine Damen und Herren, sind trostbedürftige Wesen, manchmal sogar wahre Jammerläppchen, und ich bin ein ebensolches; wir wollen trösten und getröstet werden, so einfach ist das aber nicht.

Als er von seinen Karten hochblickte, sah er ihn. Der Löwe kam den Mittelgang herabgetrottet, nicht in einer schnurgeraden Linie, sondern leicht hin und her schlingernd nach Raubkatzenart. Genau wie Aristoteles ihn beschrieben hatte, kam er daher – mit kraftvollen, sehnigen Beinen, mit breitem Schultergürtel, gutem Brustkorb und gutem Rücken, sich in den Schultern wiegend beim Laufen. Dieser Löwe war bedeutend jünger, als er ihn in Erinnerung hatte, ein Staatsexemplar von einem Löwen im Vollbesitz seiner Kräfte und Ansprüche, mit glänzendem, lückenlos geschlossenem Fell.

Wenn der Tröster kommt, frohlockte Blumenberg in sich hinein, werden wir ihn womöglich nicht einmal erkennen. Wie unerkannt der Löwe blieb, zeigte sich unzweifelhaft. Die Hörer in den Bänken sahen ihn nicht. Unbeirrt fuhr Blumenberg fort: Die Bewußtseinsprogramme, die wir uns verschrieben haben, die fortwährenden Ansporne, mehr Bewußtsein zu schaffen, sie nötigen uns dazu, unsere Entscheidungen nach Maßgabe des Realismus zu treffen. Das herrische Einfallen der Sachen in die Worte beraubt uns der Fähigkeit, Trost zu spenden, Trost zu empfangen.

Trotz seiner Stattlichkeit wirkte der Löwe im Saal kleiner als der Löwe im Arbeitszimmer.

Er führte aus, insofern sich die Menschen wechselseitig immerfort zum Realismus nötigten, seien sie zwar wie eh und je trostbedürftig, reell jedoch untröstlich. Sie hätten die Wunschherrschaften und die Fähigkeit zur Illusion fahren lassen und sich damit eines weiten Feldes der Tröstung beraubt, das sie aus der angsterregenden Verschlungenheit des Werdens und Vergehens befreien könnte.

Blumenberg glaubte kein Wort von dem, was er gerade gesagt hatte. Der Löwe widerlegte ihn souverän. Ein starkes Fluidum des Trostes ging von ihm aus. Etwas rechts vor der Theke hatte er sich niedergelassen, recht malerisch anzusehen, dachte Blumenberg. Für einen Moment sah er sich selbst als kleinen Mann und den Löwen riesengroß; bequem zwischen den Tatzen des Löwen liegend hielt Blumenberg seine Vorlesung. Über seinem winzigen Menschenkopf hing das gebieterische Haupt des Löwen, der allem, was in der Vorlesung zur Sprache kam, durch das hin und wieder entblößte Gebiß Dringlichkeit und Schärfe verlieh.

Der Löwe wandte den Kopf zu Blumenberg hin, hätte ihn aber auch den Studenten zuwenden können und damit den Saal überblickt, einen alten, leicht ansteigenden Hörsaal, mit fast bis zum Boden reichenden Fenstern zu beiden Seiten. Auf den Bänken saß allerdings nicht nur die studentische Jugend; ein gebildetes älteres Publikum aus der Stadt, darunter auch einige Professoren von anderen Fachbereichen, fand sich regelmäßig zu Blumenbergs Vorlesungen ein. In der vordersten Reihe saßen einige besonders eifrige Studenten, die die Mikrophone ihrer Kassettenrecorder auf ihn gerichtet hatten.

Sie alle sahen durch den Löwen hindurch, als unterscheide er sich nicht vom Holz des Fußbodens. Aber vier junge Leute, die locker verstreut im Raum saßen, spürten, daß sich etwas Außergewöhnliches zugetragen hatte, was über die buchenswerte Aktion ihres Professors mit den Cola-Flaschen hinausging. Es war, als hätten sie etwas gerochen, mit feinen Instinkthärchen etwas erspürt, das üblicherweise nicht in einen Vorlesungssaal gehörte. Richard, der mit langgestreckten Beinen in der drittletzten Reihe mehr hing als saß, war davon ebenso ergriffen wie Isa, die – wie immer – kerzengerade ihren Platz in der ersten Reihe etwas rechts vom Pult okkupierte; Gerhard und Hansi, auf mittlerer Ebene rechts und links verteilt, waren davon auch angesteckt, aber keiner von ihnen hätte zu sagen gewußt wovon. Nur Isa merkte, daß der Professor häufig zu Boden sah, auf eine Stelle, an der es nichts weiter zu entdecken gab.

Vom Löwen ging ein Kraftstrom aus, der Blumenberg ungemein belebte.

Er fühlte sich einig mit seinem Geschick wie nie zuvor. Sicher, die meisten seiner Vorlesungen waren ihm geglückt. Durch einen in der gesprochenen Rede präzis erfaßten Gedankenstrom die eigene Person in eine kulturelle Sphäre zu heben und sie darin wachsen zu lassen, die Fülle der Gedankenkunst durch Fremdgenuß (der sich in den aufmerksamen Gesichtern seiner Zuhörer spiegelte) in Selbstgenuß zu verwandeln, das alles war ihm längst vertraut. Frei, von Kärtchen zu Kärtchen, die er auf der Theke wie bei einer Patience hin und her schob, eine federnde Rede aufzubauen – während er wechselweise nach links in den grünen Park blickte und dann wieder die Zuhörer ins Auge faßte –, Witze zwischeneinzustreuen und Neuland zu betreten, das sich ihm während des Redens erst zeigte, wobei sein Gedächtnis ihn nie im Stich ließ, sondern Verweise und Reflexionen bildhaft in dieses Neuland eintrug, darin hatte er Übung, darin war er Meister.

Er war sich seiner außerordentlichen Fähigkeiten bewußt. Seine Dienstgeschicklichkeit als bestallter Philosoph trat leuchtend zutage.

Mit Blick auf den Löwen sprach er beseelt. Sprach von Sphärenharfen, Pilgerhymnen, Werdelust des Alls und einer kleinen Meldung aus den Vermischten Nachrichten, derzufolge ein Amerikaner eine Zeithaube erfunden hatte, die ein bißchen wie ein bestickter Kaffeewärmer aussah, gleichwohl sollte sie dem Träger ermöglichen, sich in die Welt vor der Geburt und nach dem Tod hineinzutasten. Dabei kam er so in Schwung, daß er das imaginäre Zeithäubchen des Douglas E. Bickerson mit erhobenen Händen sich auf den Kopf setzte.

Um die sich ausbreitenden Heiterkeitswellen zu dämpfen, holte er den nächsten Satz aus der Tiefe seiner gewölbten Brust: Denken Sie an den Zeithaushalt des Menschen, die verwundbarste Stelle seiner Existenz – denken Sie daran, wie schwierig es ist, an die unaufstockbare Endlichkeit und Unwiederbringlichkeit wirksamen Trost heranzuführen. Um etwas gänzlich Unvertrautes ins Vertraute zu ziehen, dazu bedarf es raffinierter Kunstgriffe, und sei's ein Häubchen, das wie ein gestickter Kaffeewärmer aussieht.

Gelächter im Saal. Blumenberg hatte mit beiden Händen die höherstehenden Seitenwände umfaßt, jetzt löste er die Hände und legte sie parallel auf die Fläche des Pults nieder: Von den Kunststücken der Zeitverlängerung, der

Zeitverwandlung, von den Heimkehrwünschen in die archaische Unverantwortlichkeit, von Heilsplänen höherer Art und den geistigen Kräften, die diesen zum Aufschwung verhelfen – das nächste Mal.

Er schob die Karteikarten zusammen; während der Applaus heftig auf die Bänke gepocht wurde, klopfte er seine Karten in Form und steckte sie in die Tasche zurück, packte Hut und Mantel und verschwand rasch, wie er gekommen war, durch die Seitentür. In Wahrheit nicht ganz so rasch. Richard, Gerhard, Hansi, Isa und einigen anderen bot sich ein seltsames Schauspiel, als ihr Professor, nachdem er die Tür aufgeklinkt hatte, plötzlich innehielt und sich umwandte, eine Weile wartete und dabei vor sich hinsah. Als wolle er jemanden durchlassen, trat der Mann höflich zur Seite, drehte sich dann mit einem eleganten Schwung zurück, packte die Klinke, schloß die Tür und war weg.

Wie immer hatte er den Besuchern keine Gelegenheit geboten, anschließend mit ihm ins Gespräch zu kommen. Es war eben nicht seine Art, herumzutrödeln und dabei auf die eine oder andere Bemerkung zu lauern, etwa ein Lob oder einen törichten Kommentar, den ein Student noch auf dem Herzen haben mochte. Er stieg sofort in seinen Peugeot und fuhr die wenigen Meter zur philosophischen Fakultät.

Als er in seinem Büro anlangte, um sich für eine Sprechstunde bereitzuhalten, zu der sich ein Student schriftlich angemeldet hatte, kehrte die Idee wieder, die beim ersten Auftauchen des Löwen in ihm herumgehuscht war, die Idee, es handle sich um einen Studentenulk. Im Moment war kein Löwe da. Blumenberg befand sich allein im Zimmer.

Ein Jux? Aber wie sollte das gegangen sein? Seine Studenten sollten einen ausgestopften Löwen nach Altenberge geschafft haben? Einen, der sich, wie gerade bewiesen, auch noch vollkommen natürlich bewegen konnte? Unmöglich. Als er an seine Studenten dachte, was inzwischen eher selten vorkam, wollte ihm kaum einer namentlich einfallen. Vorbei die Zeit, als der frisch berufene Professor in Gießen die Nachmittage und manchen Abend in angeregter Diskussionsrunde mit Assistenten und Studenten zubrachte, eingehüllt in den Rauch von Zigarren und Zigaretten, befeuert von Wein und Likören. Vorbei die Zeit, da er als jüngerer Spund manch älterem Kollegen höflich zwar, aber von sardonischem Übermut gezwickt Contra gab, Joachim Ritter etwa, den er anläßlich des Vortrages eines Physiologen in der Mainzer Akademie in eine amüsante Diskussion über die Kreislaufprobleme verwickelte, die der aufrechte Gang des Menschen mit sich brachte, wobei er, Blumenberg, die Vorteile der Zweibeinigkeit gegenüber der Vierbeinigkeit in Zweifel zog und dabei schlau, gut verpackt, gut versteckt, äußerst diskret durchblicken ließ, daß es mit dem vielgerühmten aufrechten Gang des Menschen auch im metaphorischen Sinn nicht allzu weit her war, wie die Erfahrungen der jüngsten deutschen Vergangenheit bewiesen.

Aber solchen Tumulten hatte er sich längst entzogen. Diskussionen anzuzetteln, um sich selbst Gehör zu verschaffen, um darin zu brillieren, das war vorbei. Natürlich erregte auch heute noch der eine oder andere Student seine Aufmerksamkeit. Zum Beispiel gab es da dieses Mädchen in der ersten Reihe, das immer auf demselben Platz saß und jede seiner Gesten wie gebannt verfolgte. Aber nach und nach war ihm das Interesse an den Studenten, das er in den Anfangsjahren seines Unterrichts durchaus lebhaft verspürt hatte, abhanden gekommen.

Für heute hatte sich ein Gerhard Baur angemeldet. Pünktlich um 16 Uhr 15 klopfte es, und ein langer dünner Mensch trat ein. Blumenberg erinnerte sich, daß der junge Mann schon einmal in der Sprechstunde gewesen war und einen günstigen Eindruck hinterlassen hatte. Gleich beim ersten Besuch war Blumenberg Reinhold Schneider in den Sinn gekommen, der auch ein fadendünner Zweimetermann gewesen war und sich immer gebeugt gehalten hatte, um die zwanzig Zentimeter ungeschehen zu machen, die er zuviel maß.

Der junge Baur war gewiß weniger melancholisch, als der Dichter es gewesen war, sein offenes Gesicht mit den geröteten Backen und dem wie bei einem Pagen hängenden Haar erweckte in Blumenberg väterliche Gefühle. Dazu hatte er Segelohren, vorwitzige Lauscher, die als rosige Scheibchen durch das glatte braune Haar brachen.

Blumenberg bat ihn, an dem kleinen runden Tisch in einem der tiefen Sessel Platz zu nehmen, die für Besucher reserviert waren, und setzte sich neben ihn. Vom Fenster aus sah man direkt auf den Domplatz. Blumenberg residierte auf dem Domhügel, in einem bescheidenen Zimmer zwar, aber in exponierter Lage. Keiner der beiden würdigte den Dom eines Blicks.

Baur druckste auch nicht lange herum, warum er denn gekommen war. Von Blumenbergs Wissen sei er schier überwältigt, bekannte er ein und lächelte dazu verlegen, er könne höchstens zehn Prozent, wahrscheinlich weniger aufnehmen von dem, was ihm in den Vorlesungen geboten würde, trotzdem wolle er es wagen, sich an eine Arbeit zu machen, um darin einige der berühmten antiken und biblischen Heroen zu vergleichen – Herkules, Perseus, Mopsos, Samson, wobei ihm Samson, der von allen Frauen verratene Samson, der sich so poetisch habe ausdrücken können, besonders am Herzen liege. Dazu wollte er Blumenbergs Rat einholen.

Was die zehn Prozent anlangte, konnte der Professor ihn beruhigen. Auch der wissensdurstigste Mensch könne immer nur das aufnehmen, was sich gerade in den eigenen Kosmos des Denkens einfügen lasse, und damit wirtschaften. Baurs Thema fand er lohnenswert; eine schöne Beute versprach besonders der Vergleich zwischen Herkules und Samson, wie ihn Baur noch etwas unsicher zwar, aber mit flackernden Redeflämmchen skizzierte. Blumenberg verlor sich in Gedanken an die hünenhafte Gestalt des jüdischen Muskelprotz' mit den sieben Zöpfen; zitternd, einsam und zerrieben von Leidenschaften den göttlichen Heilsplan erfüllend, war an ihm viel Kindliches, die Kindlichkeit des Leckermauls etwa, das mit der bloßen Hand Honig aus dem Skelett des Löwen geschöpft hatte.

Was Blumenberg in den letzten Jahren eher von sich ferngehalten hatte, nahm er jetzt wieder auf: er ermunterte den Studenten, ihm über den Fortgang der Arbeit zu schreiben, mit Hinweisen und Kommentaren werde er ihm zur Seite stehen.

Baurs Ohrenscheibchen glühten vor Freude, als er behutsam die Klinke des Sprechzimmers niederdrückte und leise, leise, als müsse der Schlaf eines Säuglings behütet werden, die gepolsterte Doppeltür hinter sich schloß.

Blumenberg fühlte sich wohl. Die Bescheidenheit des jungen Mannes, sein Eifer, die Intelligenz, die aus manchen seiner Redewendungen hervorblitzte, waren ein Beweis: es war doch nicht alles umsonst, was er lehrte. Einiges davon landete in den auffangsamen Ohren eines Studenten, keimte und sproß dort auf überraschende Weise. Er ertappte sich bei dem Gedanken, dem jungen Baur über den Kopf streichen zu wollen, um ihn zu behüten.

Wenig später verließ er das Gebäude. Heute hatte er Lust, zu gehen und für den Weg nach Altenberge nicht gleich ins Auto zu steigen. Es war ja ein herrlich frühabendlich warmer Tag, nicht heiß, nicht zu kühl, genau das richtige Wetter für einen Spaziergang. Er entschloß sich zu einer kleinen Runde entlang der Aa. Alle Blätter hatte der Spätfrühling in Vollendung herausgetrieben, noch kaum eines war von Raupen skelettiert worden oder krümmte sich staubverkrustet um seinen Stengel. Leichte Raschelwinde waren in die Bäume gefahren, ihre Äste schienen zu winken. In den feuchten Blumenbeeten glühte es rosa, weiß, rot, lavendelfarben. Zwei verirrte Enten watschelten über den dunstigen Rasen. Er blieb stehen und versank in der Betrachtung einer braunen Tulpe; mit sehr geradem Stengel, würdevoll erhobenen Hauptes, ganz für sich stand sie inmitten ihrer buntfarbenen Schwestern, die krumm und fröhlich durcheinanderwuchsen.

Der Anblick ihrer bepelzten Staubbeutel von intensiv leuchtendem Schwarz begleitete ihn noch einige Schritte, bis er sich allmählich verlor. Unterwegs drehte er sich zu mehreren Malen um. Ob der Löwe ihm folgte? Nein, der Löwe zeigte sich nicht. Was wäre, wenn seine Familie von der Existenz des Löwen erfahren würde? Nicht durch ihn, er würde ja kein Wort darüber verlieren. Aber seine Frau, seine Tochter, die Söhne waren schlau, keineswegs fühllos bezüglich wichtiger Dinge, die um ihn herum geschahen, wer wußte es, vielleicht teilte sich zumindest der

Löwengeruch ihnen mit. Er lachte bei der Idee, man würde in seinem Haushalt nun riesige Fleischportionen für den Löwen täglich bereitstellen und ihm diese in einem übergroßen Hundenapf servieren. Andererseits war dieser sehr spezielle Löwe wahrscheinlich jahrhundertelang ohne Fleischzufuhr ausgekommen.

Er mußte unbedingt in Erfahrung bringen, wem sich der Löwe beigesellt, wem er zuvor gedient hatte. Mit Fleisch? Ohne Fleisch? Ohne Fleisch, entschied Blumenberg. Der Witz des Löwen bestand gerade darin, daß er existierte, ohne nach Art seiner Naturbrüder die ihm gemäße Portion Fleisch zu verschlingen. Er tauchte auf und verschwand, ohne Spuren zu hinterlassen, hatte es nicht nötig, die Tatzenabdrücke mit dem Quast seines Schwanzes zu verwischen, um die allegorische Christusnähe unter Beweis zu stellen (was im Arbeitszimmer oder im Hörsaal ohnehin unmöglich gewesen wäre); er mußte nicht aller Welt zeigen, daß er ähnliches tat wie Christus, der seine Göttlichkeit als Mensch immer wieder verborgen hatte. Sein Löwe hinterließ keinen Löwenkot und keine Haare auf dem Teppich, jedenfalls nicht 1982, nicht in der Stadt Münster an diesem schönen Maitag, über dem jetzt die Dämmerung aufschwoll, die ihn beendete.

Der Löwe II

Auf dem Weg zum Parkplatz kam er an der Skulptur von Ulrich Rückriem vorüber, die im Gras aufragte und viel Unmut erregt hatte und noch immer erregte. Die auf der Vorderseite eher gerade abfallenden, hinten schräg verlaufenden Platten, die nebeneinander gestellt Felswände simulierten, hielt Blumenberg für entbehrlich, aber sein Ärger ging nicht so weit, daß er sich deswegen öffentlich hätte äußern wollen. Da die Platten immer wieder beschmiert wurden und dann gereinigt werden mußten, konnte das Moos die Unglücksskulptur nicht von allen Seiten überziehen und in ein grünliches Ungefähr entrücken. Im regenreichen Münster hätte das Moos sonst bereits ganze Arbeit geleistet.

An scheußlichen Skulpturen gab es in der Stadt keinen Mangel. Das häßlichste Monument war die Statue des Grafen von Galen, des *Löwen von Münster*, der im Dritten Reich gegen die Euthanasieprogramme und die Umtriebe der Geheimen Staatspolizei von der Kanzel aus zu Felde gezogen war. Ein stattlicher Mann, ein westfälischer Hüne mit wuchtigem Kopf und Donnerstimme, der sich nichts hatte gefallen lassen und schon 1934, in einem Osterbrief, die neuen Machthaber in ihrem gottwidrigen Denken und Handeln angegriffen hatte. Fest, hart, zäh wie ein Amboß, auf den er sich so gerne berief, war der Mann gewesen. Die Statue, die ihn vorstellen sollte, war übel. Eine verkitschte, verschlankte Skulptur, deren Ästhetik aus der NS-Zeit herrührte; allerdings hatte der Künstler die Muskeln und auch sonst alles, was den Löwen von Münster ausgemacht hatte, weggeschliffen oder fortgelassen. In unpersönlich fader Geradheit, den rechten Arm lächerlich erhoben, als jämmerlicher Popanz stand die Gestalt auf ihrer Stele; ihr war nicht zuzutrauen, daß sie auch nur einen Pieps gegen die Tötungsmaschinerie zustande gebracht hatte.

Während der Heimfahrt erfreute sich Blumenberg an dem saftigen Grün, das in Wiesen und Tälern im Kontrast zu den schwarzen Waldinseln noch immer aus der Dämmerung hervorleuchtete. Er war in gehobener Stimmung und erwartete die Nacht.

Der Abend verlief wie üblich, mit dem einzigen Unterschied, daß er Lust auf eine ordentliche Portion Rindfleisch verspürte und mehr davon aß als gewöhnlich. Gegen neun suchte Blumenberg sein Arbeitszimmer auf und war enttäuscht. Kein Löwe. Er tat das Übliche, las, überarbeitete den inzwischen abgeschriebenen Text der vorletzten Nacht, machte sich Notizen, drückte den Knopf der Stenorette und diktierte seiner Sekretärin einen weiteren Teil. Als er dazwischen von den beschriebenen Blättern aufsah, war der Löwe wieder zur Stelle.

Er lag in derselben Position auf dem Teppich wie in der letzten Nacht. Habhaft. Fellhaft. Gelb. Keinerlei Formunruhe zeigte sich an ihm, die zu Zweifeln an seiner Existenz berechtigt hätte.

Diesmal wandelte ihn das Verlangen übermächtig an, den Löwen zu berühren; der Löwe schien gar nicht abgeneigt, einen vorsichtigen Kontakt – Hand zu Fell – zu empfangen. Blumenberg war schon im Begriff, aufzustehen und zu ihm hinüberzugehen, doch rechtzeitig besann er sich auf das Gebot der *actio per distans* und blieb sitzen. Zu große Nähe konnte alles zerstören. Der Vorteil der Distanz lag darin, daß er sich nur in gehörigem Abstand zutrauen durfte, für ein im Metaphysischen zitterndes Wesen das Gemeinsame der Verständnisweise und der ihnen beiden zugrundeliegenden geschöpflichen Wahrheit zu erkunden. Vielleicht war jetzt zum ersten Mal, indem er den Löwen *nicht* berührte, die Möglichkeit zur Wahrheit überhaupt gegeben.

Der Löwe war gekommen, ihn in seinem Wesen zu hegen, wie dies kein Mensch je für ihn getan hatte oder je würde für ihn tun können. Einerseits. Andererseits war es bedauerlich, daß der Löwe keinerlei Wildheit gezeigt oder gar zum Sprung auf ihn angesetzt hatte. Sonst hätte er, Blumenberg, wie einst Hieronymus in einer wohlkomponierten Haltung der Andacht und mit süßer Beredsamkeit dem Löwen Zurückhaltung aufnötigen müssen. Zähmung der Wildheit durch Rhetorik und fromme Gesten! Blumenberg ärgerte sich, daß man ihm offenbar nicht die allerkleinste Kraftprobe zutraute, mußte sich aber sagen, daß er es in puncto Rhetorik zwar mit dem Kirchenlehrer hätte aufnehmen können, niemals aber wären ihm dessen andächtige Vollendungsposen gelungen. Den Glauben hatte Blumenberg zwar verloren, nicht aber die Liebe zur Kirche.

Der Löwe zeigte sich wieder in seiner vertrauten Altersform. Ob er in seiner Jugend andere Löwen gezeugt hatte? In seinem zerrupften Zustand war ihm das kaum zuzutrauen. Blumenberg gelang es nicht, in seinem Löwen den Erzeuger kleiner Katzbälger zu sehen, die umeinander tapsten, maunzten, grollten, in Knäueln aufeinander lagen und die Mäuler genießerisch aufrissen.

Er drückte auf den Knopf der Stenorette und diktierte: Tiefsinniger Frager: Was ist das für ein Löwe? Leichtfertiger Antworter: Alle Löwen sind Löwen. Tiefsinniger Frager: Ob das auf diesen speziellen, etwas blasiert dreinblickenden, von mir womöglich allzu heftig herbeigewünschten Löwen auch zutrifft? Leichtfertiger Antworter: Einer unter vielen anderen. Tiefsinniger Frager: Vielleicht ist jeder ein anderer. Leichtfertiger Antworter: Alle sind anders und doch ein und dieselben.

Er hielt inne. Er bekam Lust zu einem sonderbaren Experiment. War der Löwe der Wahrheit verpflichtet? Wie würde er auf eine Lüge reagieren? Oder auf etwas Improvisiertes, so ein leichterdings dahingeflunkertes Märchen? Blumenberg tat, als spräche er in sein Gerät, hatte aber die Aufnahmetaste nicht gedrückt und behielt den Löwen im Auge: Hier, auf diesem Stuhl, sitzt ein Schuster.

Keine Reaktion von seiten des Löwen.

Blumenberg zögerte einen Moment und besann sich. Dann redete er mit einem Schmelz, der ihm ziemlich schwül vorkam, auf seinen Gast ein: Das ist die Geschichte vom alten, sehr alten, ja uralten Löwen, der sich nach einer Jahrhunderte währenden Schlafperiode erneut zu bemerken gab. Wie schon die eifrigen Kinder wissen, die Löwenbücher lesen und Löwen im Zoo besuchen, wird ein Löwe in der freien Wildbahn höchstens sechs bis sieben Jahre alt. Entweder es kommt ein jüngerer, kräftigerer Löwe und tötet ihn, oder er wird vertrieben und muß schmählich verhungern. Da haben es die Löwinnen besser; sie bleiben im Rudel und können in der Jagdgemeinschaft bis zu zwanzig Jahre alt werden. Im Zoo ist natürlich die Möglichkeit gegeben, daß auch ein Löwenmann ziemlich alt wird, manchmal bringt es der gefangene Löwe sogar bis auf dreißig Jahre. Aber der Löwe, von dem ich erzählen will, wurde – Blumenberg räusperte sich, weil ihm der Schwung abhanden gekommen war – sehr, sehr alt.

Der Löwe gähnte und zeigte dabei etwas von seinem Gebiß.

Er hatte wohl zuviel Salbung in seinen Ton gelegt. Leise, aber eindringlich fuhr Blumenberg fort: Die Geschichte vom Löwen, die hier nicht den Kindern, sondern den Büchern, dem Schreibtisch und einem gähnenden Löwen erzählt wird, der womöglich nur dem Anschein nach ein Löwe ist, beginnt aber nicht im Zoo, sondern woanders. Sie beginnt in der Wüste. Dort, wo alles knochentrocken ist und alle Gedanken brennend sind, zugleich klar und hart, kam Bewegung in einen Hügel aus Sand: der alte Löwe war wieder erwacht. Er hatte sich erhoben und den Wüstenstaub aus seiner Mähne geschüttelt. Nach Jahrhunderten war wieder Leben in ihn gefahren, er hatte sich erhoben, um die Wüste zu verlassen und einem bedeutenden Mann Gesellschaft zu leisten.

Dieses Mal sollte sein Besuch aber keinem Heiligen gelten, sondern einem Philosophen. Man hätte denken können, daß vielleicht Ludwig Wittgenstein oder Edmund Husserl – wer wollte sich hier so genau festlegen –, vielleicht sogar der gewölbte Schnauzbart Friedrich Nietzsches ihn aus der Wüste gelockt hätten, aber nein, ein zurückgezogener Philosoph in Münster war's, der dort redlich die Dienste eines Universitätsprofessors versah und sehnsüchtig darauf wartete, daß einer käme und mit einem Tatzenschlag den Weltzusammenhang wiederherstellte, über dessen Verlust zu philosophieren bei gleichzeitiger Trauer um diesen Verlust seine nächtlichen Geschäfte waren.

Blumenberg stockte. Gar zu albern kam er sich vor bei diesen Tiraden, besonders die Worte *zurückgezogen* und *redlich* schmeckten ihm nicht. Der Löwe hatte nur einmal gegähnt und sonst wie bisher in aller Gemütsruhe durch ihn hindurchgesehen, aber Blumenberg wollte bemerkt haben, daß kleine ironische Flämmchen in seinen Augen geglüht hatten. Ein kaum wahrnehmbares Flackern war es gewesen, mehr nicht.

Eine unangenehme Pause trat ein. Blumenberg hatte sich verrannt. Einfach so zu tun, als wäre kein Löwe da, gelang ihm nicht. Das Tier beherrschte sein Denken und Fühlen, und es machte ihn nervös, daß sich der Löwe so ruhig aufführte oder vielmehr nicht aufführte und sein Benehmen indifferent blieb in bezug auf Wahrheitsproben oder rhetorische Märchenspiele oder werweißwasimmer.

Blumenberg entschloß sich zu einer ungewöhnlichen Handlung. Er schenkte sich ein Glas Wein ein, stand auf und setzte sich mitsamt Glas im Schneidersitz auf den Boden, in etwa zwei Meter Entfernung zum Löwen. Der Löwe nahm diese Annäherung ruhig hin. Ja, Blumenberg kam es so vor, als wäre der Löwe erfreut, daß sein Zimmerkamerad nun nicht mehr auf ihn herabsah, sondern aus annähernd gleicher Höhe zu ihm her.

Blumenberg musterte das helle Haar des Löwen am Bauchrand und an der Unterseite der Pranken. Für einen Augenblick wünschte er, der Löwe würde sich in einer spielerischen Unterwerfung auf den Rücken wälzen und seinen Bauch herzeigen. Aus der Nähe betrachtet war er noch größer als von oben herab gesehen. Rechts auf seiner Brust verlief eine lange Narbe bis zum Ansatz des Vorderbeines. Ob der Löwe einst mit einem anderen Löwen um die Herrschaft im Rudel gekämpft hatte? Trotz der offenkundigen Altersschäden hatte sich da eine ziemlich imposante Masse in die Sichtbarkeit gedrängt. Der Krafterhalt war enorm. Hatte ein übergroßer Wille dem Löwen dazu verholfen, sich selbst das Existenzprädikat zu verleihen und es nach Belieben wieder zu entfernen? Oder war der Löwe, so wirkmächtig er sich auch zeigte, doch nur ein Hirngespinst, geschaffen von ihm, Blumenberg selbst, einem aus dem Leben, wie alle Welt es führte, sich mehr und mehr entfernenden Geistmenschen, der den Wunsch hegte, die Wirklichkeit in der Nähe, auf Kniehöhe bei sich zu haben, und zwar in bewährt gezähmter Form? Gemäßigt, triebbeschnitten, kompakt, nicht in Fragmente zersplittert – freundlich?

Blumenberg fiel das Wort *nervenexzentrisch* ein, das Thomas Mann einmal zur Charakterisierung des Mittelalterlichen in ihrer beider Heimatstadt Lübeck gebraucht hatte. War er selbst inzwischen so nervenexzentrisch, daß er den Löwen nicht nur einmal, zweimal, sondern als annähernd fortwährenden Begleiter imaginierte?

Die hölzerne Statue des heiligen Johannes hing über dem Löwen an der Wand. Ein weiteres Objekt, das aus dem Kunsthandelsgeschäft des Vaters, aus der Hansestraße 6, mit nur minimalen Brandspuren davongekommen war. Kunstverlag J. C. Blumenberg, Import, Export, Lübeck; der Briefkopf in brauner Schrift kam ihm kurz vor die Augen. Johannes hielt ein aufgeschlagenes Buch in Händen, in dem er hingebungsvoll las; ungerührt an allem vorbei, was um ihn her geschah, wie er schon am Palmsonntag 1942 weitergelesen hatte, als nach einem

Angriff der Royal Air Force die Trümmer herumflogen und ihn mit Schutt und Asche bedeckten. Über seinen frommen Augen waren die Lider gesenkt, Lider, in die winzige Zacken eingeschnitzt worden waren, um ihnen mehr Dynamik zu verleihen. Trotz der konzentrierten Pose des Evangelisten hatte die Kleidung etwas Beschwingtes. Es war, als wären unruhige Winde von unten in sein Gewand gefahren und hätten es an einigen Stellen zerzogen, an anderen gebauscht. Vielleicht murmelte Johannes, um ihn in der Sanftmut zu erhalten, dem Löwen Worte zu, schönere noch als diejenigen, die er in sein Evangelium hineingeschrieben hatte, und nur er, Blumenberg, war nicht imstande, das Gemurmel zu vernehmen.

Schräg über Johannes, nach der linken Ecke zu, verlief ein langer Riß in der Wand, entstanden, weil das Haus dem Hang nachgab und sich senkte, wobei die zum Garten hin gelegene Mauer der Belastung nicht mehr ganz gewachsen war. Eine Reparatur kam natürlich nicht in Frage, da hätte Blumenberg ja alles ausräumen und für Wochen, womöglich Monate aus seinem Arbeitszimmer ausrücken müssen – allein der Gedanke!

Daß der Löwe für sein Auftauchen keineswegs einen Riß in der Wand benötigte, die Atmosphäre für seine Verschwinde- und Erscheinungskünste andere Mittelchen bereithielt, litt keinen Zweifel, trotzdem bildete Blumenberg sich ein, der störende Riß sei jetzt endlich zu seiner wahren Bestimmung gelangt – Geistodem wehte, Geiststrahlen tasteten sich durch den Riß ins Zimmer. Er gratulierte sich dazu, daß er so stur gewesen war, jeden laut vorgetragenen Gedanken an eine Reparatur sofort abgeschnitten zu haben.

Optatus

Gerhard war schon als Jüngling zu einem glühenden Blumenbergianer geworden, auf dem Karlsgymnasium. Gerhard Optatus Baur, sein voller Name. Durch das fehlende *e* war der Nachname apart geworden, hatte sich vom Bäuerlichen entfernt und in etwas Künstliches verwandelt, wodurch das *r* am Schluß eine Betonung auf sich zog und wie ein Maschinchen im Leerlauf ausratterte. Obendrein war seine Mutter auf einen exzentrischen Mittelnamen verfallen, hatte den Säugling als Erwünschten und Ersehnten willkommen geheißen, einem Mann zu Ehren, der fast immer donnerstags gegen 12 Uhr 30 die Kantine der Württembergischen Landesbibliothek aufgesucht hatte.

Nein, Eberhard Optatus Schneckenburger war nicht der Vater des kleinen Optatus. Inzwischen ruhte der Gelehrte schon viele Jahre auf dem Stuttgarter Waldfriedhof unter einem Findling von der Schwäbischen Alb. Jahrzehnte hatte er die geistige Herrschaft über die schwäbische Landesgeschichte innegehabt, ihre Burgen, ihre Schlösser, ihre Stadtanlagen, die Regenten, Dichter, Philosophen, Erfinder und Ingenieure, die Obstbaumkultur, die Pachtzinsen, den Wein, Brände, Pest, Religionswirren und auch die Auftritte Goebbels' in der Cannstatter Sporthalle, kurzum Herrschaft über den großen Erzählteig, der als Landesgeschichte aufquillt und sich zu einem besonderen Gebilde der Eigenwürde zusammenbacken läßt, auf den die Nachfahren eher stolz sind als nicht stolz. Seine Dienste waren auch bei der *Stuttgarter Zeitung* willkommen gewesen, wo er mit witzigen Stadtgeschichten ein treues, gar nicht so kleines Publikum in Lesehaft genommen und zu dessen Entzücken belehrt hatte.

Gerhards Mutter arbeitete als Köchin in der Kantine der Landesbibliothek, bisweilen auch an der Kasse. Den Dienst an der Kasse hatte sie donnerstags förmlich an sich gerissen, nachdem sie auf Schneckenburger aufmerksam geworden war und in Erfahrung gebracht hatte, daß er immer am selben Tag kam. Nicht, daß sie mit allen Fasern in ihn verliebt gewesen wäre – der Mann war viel zu alt für sie, fast schon ein Greis –, nein, sie liebte ihn aus den unfesten, aus dem Ungefähren anfliegenden Gründen der Sympathie, und weil er sie respektvoll behandelte. Seine dünne, fast kindliche Gelehrtengestalt, die im Alter noch rosige Haut, der weiße, wie bei einem Kakadu abstehende Schopf, die wackelnden Hände, die Mühe hatten, die richtigen Geldstücke zu finden, erfüllten sie mit fürsorglicher Zuneigung. Er war so ein gescheites Haus! Und riß königliche Witze über den Fraß, der aus den Nirostabecken von Schöpfkellen auf die Teller geklatscht wurde.

Gerlinde Baur war eine vorzügliche Köchin; ihr machte zu schaffen, was da tagtäglich zusammengepampst wurde, und sie war erfinderisch darin, den Gerichten wenigstens durch Würzbeigaben aufzuhelfen. Was den Einkauf und die Zubereitung der Speisen betraf, legte sie sich regelmäßig mit dem Küchenchef an, stieß bei ihm jedoch auf taube Ohren.

Schneckenburger schien jedenfalls auf den ersten Blick

erkannt zu haben, daß da ein recht fein verfaßter Mensch an der Kasse saß. Er zwinkerte ihr alsbald zu, wenn er die donnerstägliche Linsen- und Spätzlekost und den wäßrigen Gurkensalat auf den Metallstreben ihr vor die Augen schob, während er darum bat, sie möge noch eine Prise Salz über die Bescherung streuen, damit seine Geschmacksknospen und der Magen leichter damit fertig würden.

Allmählich entwickelte sich das mit dem Salz zwischen ihnen zum Ritual. *Könnte mir meine Salzmeisterin von ihrem Deputat eine Prise abzweigen?* Nach ungefähr einem Jahr überreichte er ihr ein Geschenk: ein Salz- und ein Pfefferfäßchen aus blauem Glas, beide steckten in silbernen Flechtkörbchen, von denen sich feine Gespinste bis an die durchlöcherten Deckel hinzogen. Für Gerlinde war es das schönste Geschenk, das sie je bekommen hatte. Noch auf dem Totenbett im Robert-Bosch-Krankenhaus, auf das eine krebsverheerte Bauchspeicheldrüse sie allzu früh warf, nämlich mit vierundfünfzig Jahren, bat sie ihren Sohn, er möge doch die blauen Salz- und Pfefferfäßchen zu ihr in den Sarg legen.

Anfänglich hatte sie gar nicht gewußt, wer er war. Als an ihrem nächsten gemeinsamen Donnerstag zwei junge Kerle hinter dem alten Mann herwitzelten und dabei das Wort *Optatusschreck* fiel, erkundigte sie sich bei einer Bibliothekarin und erfuhr den vollen Namen des Professors. *Optatus* – bei diesen drei Silben gingen ihre Ohren spazieren.

Einige Monate nach dem Tod Schneckenburgers kam ihr Sohn zur Welt, und sie nannte ihn Gerhard Optatus. In dem Namen hörte Gerlinde etwas Großes, Optimistisches, Verheißungsvolles anklingen. Ein Federchen in ihr schien mit höheren Mächten zu kommunizieren. Die Einwände ihres Mannes, der lieber einen Fritz zum Sohn gehabt hätte oder einen Hans-Jörg, hatten kein Gewicht. Gerlinde wünschte sich, der Sohn möge ein Buchmensch werden, ein anderer Mensch als ihr Mann, der Tag für Tag, treppauf, treppab die privaten Zähler der Wasser-uhren für die Wasserwerke ablas, abends in kamelhaarfar-bene Hausschuhe schlüpfte und sich am Wochenende für wenig mehr als den VfB Stuttgart interessierte. Der Mann hielt sich nicht lange an Gerlindes Seite, denn er starb noch jünger als sie, mit einundvierzig Jahren, so daß Ger-hard, der keine Geschwister, dafür die Mutter eine Zeit-lang für sich allein hatte, mit sechs Jahren Halb- und mit einundzwanzig Jahren Vollwaise wurde.

Er geriet so leicht und sein Körper so lang.

Gerhard kam, was Söhne selten tun, so sehr nach den Wünschen der Mutter, daß es schier unheimlich war. Keiner von den üblichen Zuffenhausener Gassenfratzen wuchs im zweiten Stock der Tuchbleiche 7 heran. Schon bevor er in die Schule kam, lernte er lesen und war darauf-hin mit den Büchern eins wie andere Jungs mit ihrem Fußball. Er schleppte sie ins Bett, aufs Sofa, an den Kü-chentisch, in die Straßenbahn, ins Mineralbad Berg. Ein klarer Fall fürs Gymnasium, ein gutes, altsprachliches. Gerlinde bedauerte nur, daß ihr Kleiner so schnell wuchs. Mit dreizehn war er schon anderthalb Kopf größer als die Mutter und beugte sich zu ihr nieder, wenn er mit ihr sprach. Es war, als wäre der alte Optatus aus dem ver-schwiegenen Reich der Toten heraufgezogen und hätte seinen erzieherischen Schatten über den jungen Optatus gleiten lassen; Gerhard wurde sanftmütig und witzig. Ihm machte es nicht das geringste aus, wenn man ihn seines Namens wegen verspottete, im Gegenteil, er schien es zu genießen. In der Schule wurde er *Geges* genannt, ein Spitzname, der sich beim Wechsel an die Universität verlor. Auch wenn er trotz seiner Länge körperlich gegen die stärkeren Klassenkameraden wenig auszurichten hatte, war er bei ihnen beliebt. Gerhard war schlau, umgänglich, bei Prüfungsarbeiten nützlich und schnell bereit, von dem wenigen, was er besaß – zum Beispiel raffiniert belegte Brote mit krosser Kruste, die seine Mutter ihm morgens in die Tasche steckte –, die Hälfte herzugeben.

Schon in der Schule hatte Gerhard Blumenbergs *Genesis der kopernikanischen Welt* gelesen, ohne sie recht zu verstehen zwar, aber mit flammender Begeisterung und der geheimen Genugtuung, daß er wahrscheinlich der einzige in Zuffenhausen war, der darin las. Mit dem Buch in der Hand fühlte er sich wie ein Erwählter. Von seinem Taschengeld hatte er sogar die teure Leinenausgabe gekauft, hatte mit spitzem Bleistift und einem kleinen Lineal so viele Sätze unterstrichen und so viele Ausrufungszeichen an den Rand gestrichelt, daß das Buch mit den grauen, auf den jeweiligen Rückseiten durchgedrückten Linien merkwürdig bleiern und aufgeplustert aussah.

Ehrensache, Gerhard mußte bei Blumenberg studieren; nach dem Abitur schrieb er sich an der Westfälischen Universität Münster ein, wo er im ersten Semester während einer Vorlesung auf Isa aufmerksam wurde und sich viele Wochen damit begnügte, sie aus der Ferne zu betrachten, bis er – vorsichtig, auf verschlungenen Wegen, bei jeder Begegnung mit geröteten Wangen dastehend und nicht recht wissend, wohin mit seinen langen Armen und heißen Händen – näher mit ihr bekannt wurde.

Waren sie nun ein Paar, oder waren sie keines? Schwer

zu sagen. Gerhard war jedenfalls deutlich der Verliebtere. Ihm oblag es, sich um die junge Frau zu kümmern, allerdings auf diskrete Art. Am Anfang, als sie einige Nächte im antiken Eisenbett Isas verbracht hatten, war es schwierig zugegangen, nicht so, daß Gerhard versessen gewesen wäre, auf eine Fortsetzung der Bettgelage zu drängen. Was sollte man von einer Frau halten, die sein spärliches Brusthaar zwischen den Fingern zwirbelte und dabei Kinderworte vor sich hinlispelte? Er verfluchte die Pfosten und das Gitter. Kläglich eingesperrt war er in diesem Eisenbett gewesen und hatte an seiner Länge weit über das übliche Maß gelitten, hatte mit angewinkelten Knien dagelegen wie ein bleierner Schmerzensmann und kein Auge zugetan, war sich wie ein Verbrecher vorgekommen, weil er es gewagt hatte, sich in den schmächtigen Körper der Geliebten hineinzuzwängen, während sie wie abwesend unter ihm gelegen hatte, noch dazu in einem Bett, das für ihn fünfzehn Zentimeter zu kurz war und über dem Patti Smith im Männerhemd, das Jackett mit der silbernen Fliegerbrosche lässig über die Schulter gelegt, abschätzig, wie er glaubte, auf ihn herabsah.

Obwohl er sonst frei mit Menschen umgehen konnte, auch mit klügeren und schöneren, machte Isa ihn befangen. Sie war in einer anderen Welt groß geworden und gewohnt, daß die Umgebung sich ihren Wünschen fügte. Sie kam aus Heilbronn. Ihr Vater war dort Knopffabrikant. Kurz & Söhne, eine Traditionsfirma, berühmt für ihre Steinnußknöpfe, Kirschkernknöpfe, Hornknöpfe, Perlmuttknöpfe, Metallknöpfe mit Gravuren, stoff- und lederbezogenen Knöpfe, darunter Jägerknöpfe, lautlos zu- und aufknöpfbar, auch weiße Zwirnknöpfe, solche altmodischen Wäscheknöpfe mit sternförmig ausgerichteten Fäden, die Halle vollgepackt mit komplizierten Maschinen zum Drehen, Schneiden, Bohren, Fassen, Fräsen, Zähneln, Fädeln, Glätten, Prägen und Polieren, für jeden Grundstoff, aus dem die Knöpfe gemacht wurden, eine eigene Maschine.

Nicht eigentlich schön, hatten Isas schmächtige Gestalt, der rasch abgleitende Blick, das flaumige Kükenhaar, der kindliche Busen, kindliche Patschhände, die nicht zu den dünnen Ärmchen passen wollten und immer etwas fahrig herumhantierten, wenn sie zum Beispiel in der Küche Brot schnitten und um ein Haar daneben- und ins eigene Fleisch schnitten, etwas Anrührendes. Gerhard fühlte sich für sie verantwortlich, hätte aber nicht angeben können, wofür genau. An Geld hatte sie monatlich bestimmt das Fünffache zur Verfügung; sie besaß eine weitverzweigte Familie, die sich ständig nach ihr erkundigte, sie fuhr einen nachtblauen Alfa Giulietta, hatte in Münster mehr Bekannte als er und verbrachte die Semesterferien auf einem Landsitz der Familie in Mallorca, während er das Leben eines kleinen Mannes führte, der in einem Tengelmann-Supermarkt Erbsendosen aus Kartons packte und in die Regale schichtete.

Trotzdem, im Vergleich zu Isa empfand er sich selbst als ein Muster der Stabilität. Sie war zwar kein Irrwisch, hatte aber in ihrem Gebaren etwas flackernd Unstetes, war in Melodramen verwickelt, die er nicht entschlüsseln konnte. Rasch wechselten Gemütszustand und körperliche Spannkraft zwischen der Trägheit einer Bekifften (in erwartungsvoller Trance) und einem Zappelphilipp; manchmal bekam sie etwas so eigentümlich Abwesendes und Starres, als säße da urplötzlich ein fremder Mensch. In solch verstörenden Momenten fürchtete er, ein Inferno würde aus ihr herausbrechen, das Gesicht sich zu einem einzigen Schrei verziehen; er war aber nervenstark genug, nicht zu fragen, was ihr durch den Kopf ging. Gerhard besaß ein feines Gespür, wodurch man einem Menschen lästig werden konnte. Insgeheim machte er sich Sorgen und grübelte, wovon der schmale Kopf seiner Freundin beherrscht wurde.

Blumenberg beherrschte ihn, soviel war sicher. Anfangs hatte Gerhard geglaubt, es sei ein Modeflitz, ein windiger Versuch, sich zu den Intellektuellen der Stadt zu zählen, weshalb sie seine Vorlesungen besuchte und von ihnen schwärmte. Er merkte aber schnell, daß er sich getäuscht hatte. Isa las Blumenbergs Bücher womöglich mit größerem Eifer als er selbst, und sie besaß ein unheimliches Gedächtnis dafür, wie Blumenberg sich ausgedrückt, welche Gesten er dazu gemacht, welchen Anzug und welche Krawatte er getragen hatte, wie ihm der Hut auf dem Kopf saß. Manchmal wiederholte sie Blumenberg-Sätze wie ein Papagei, ob sie nun in den Zusammenhang des Gesprächs paßten oder nicht: *Wir wissen, daß wir sterben müssen, aber wir glauben es nicht, weil wir es nicht denken können.* Sie wurde böse, wenn er von Blumenbergs fast kahlem Schädel als poliertem Eierschädel sprach, wenn er das Auftauchen und Verschwinden durch die Seitentür als einen Deus-ex-machina-Kniff bespöttelte. Spielte er darauf an, daß Blumenberg ein Familienvater mit mehreren Kindern war, schwieg sie eisern.

Unter Blumenbergs Einfluß begann Isa seltsam zu reden. Sie spickte ihre Sätze, die sich normalerweise vom Jargon der jungen Münsteraner Studenten kaum unterschieden, mit ausgefallenen Wörtern und Wendungen. So redete sie nicht mehr vom Schatten, sondern vom *Schat-*

tenwurf, vom Grab als von der *Verwahrhöhle*, eine Nacht war nicht mehr einfach eine Nacht, sondern ein *romantisches Rezidiv der Nacht*, was sie nicht davon abhielt, wieder und wieder *The River* von Bruce Springsteen zu hören und die steile Frisur von Grace Jones für ein bedeutendes Kunstwerk zu halten. Natürlich wurde sie zornig, wenn er sie wegen solcher Ungereimtheiten auf den Arm nahm und sie einen bilanztechnisch einwandfreien blumenbergischen Erinnerungsposten mit fragwürdigem Kunstverstand nannte. Aber ihr Zorn verflog schnell. Hingerissen schaute er auf den enganliegenden roten Pullover, über den mittig ein Band aus schwarzen Rechtecken von oben nach unten lief, das sich über dem Busen weitete.

Merkwürdig war auch, daß Isa immer in der ersten Reihe sitzen wollte und es nicht mochte, wenn er neben ihr Platz nahm. Sie wolle sich ganz auf die Vorlesung konzentrieren, dabei würde er nur stören. Nun, er saß eh nicht gern in Reihe eins. Aber er war irritiert. Seine Blicke wurden oft von Blumenberg abgezogen und wanderten zu ihrem Schopf, wobei er sich wunderte, daß sie während der fast zweistündigen Vorlesung so pharaonenhaft dasaß, ausgerechnet Isa, die sonst auf Stühlen herumrutschte, sich in die Haare fuhr, an den Knöpfen ihrer Hemden nestelte (sie trug niemals Blusen, sondern nur Pullover oder Männerhemden, die ihr mindestens zwei Nummern zu groß waren), einen Schal zwischen den Fingern drehte und in raschem Wechsel ein Bein über das andere schlug.

In etwas schwächerer Form beherrschte Isa noch eine weitere Figur: Virginia Woolf. Gerhard nahm sie für weniger bedenklich, da sie längst tot war und keine Gefahr bestand, daß sich Isa verzückt zu ihren Füßen hinkauern würde. Isa hielt sich für durch und durch *dallowayisiert*, wie sie es selbst nannte, alles um sie herum geschehe gleichzeitig und sie sei auch mit allem durch energetischen Fingerspitzenkontakt in Schwingung gesetzt. Mit einem Ernst, von dem schwer zu entscheiden war, ob gespielt oder nicht, glaubte sie, die Verbindung mit ihm, Gerhard, hätte etwas von Mrs. Dalloways alter Liebe zu Peter Walsh. Der Moment würde kommen – natürlich in einigen Jahrzehnten erst –, da sie längst verheiratet wäre und er sie nach langen, langen Irrwegen durch die Welt besuchen würde, um auf ihrem Sofa in Tränen auszubrechen.

Gerhard konnte sich das weniger gut vorstellen, weder die Irrwege noch das tränenreiche Sofasitzen. Seit dem Tod seiner Mutter hatte er nicht mehr geweint.

Eine andere Behexung hielt Isa jedoch strikt vor ihm verborgen; mit keiner Silbe sprach sie davon, zu niemandem. Wenn sich die Tatsache, daß sie bei einer Koryphäe mit Namen Blumenberg studierte, noch einigermaßen mit Patti Smith und Mrs. Dalloway verbinden ließ, zwei Figuren, die über Generationen hinweg eine anziehende und exzentrische Art, weiblich zu sein, verkörperten, so ließ sich der Roman, den sie wieder und wieder las, um seine verschwenderische Liebesopulenz in den Schlaf hinüberzunehmen und sich selbst an die Stelle der Protagonistin zu versetzen, im Licht des Tages, geschweige denn der von Blumenberg gelehrten Vernunft nicht damit verbinden. Isa schämte sich für ihre Vernarrtheit, ach was, Verranntheit. Rettungslos war sie an einen Roman gefesselt, einen unbekömmlichen, sogar gefährlichen. Einen Roman, dessen Kitschvibrato ihre Eingeweide erregte, den sie aber, wäre sie von jemandem auf ihn angesprochen worden, lauthals verlästert hätte.

Alles, was sich in der *Schönen des Herrn* von Albert Cohen zutrug, wies auf sie und hatte Blumenberg im Schlepp. Nebensächlich, daß der Roman in den vierziger Jahren spielte, der männliche Held ein aus allen Verbindungen gerissener Jude war und die Frau, die er verführte, eine sittsame, verheiratete, sich langweilende Schweizerin aus gehobenem Calvin-Milieu. Das gehobene Milieu konnte Isa zwar für sich in Anspruch nehmen, sonst aber eigentlich nichts. In ihren Gedankenflügen modelte sie alles um, bis ihre Liebe dem Roman zu gleichen schien: Blumenberg war Jude, und er war insgeheim erotisch gefährlich, ein Verführer mit sprühenden Augen am Rande des Luziferischen, des Sardonischen, des Mit-allen-Wassern-Gewaschenen, ein Sprachmagier, der in Zungen redete, dem aber auch Flüche entfuhren aus abgründiger Verdorbenheit und Verzweiflung heraus, geradeso wie dem Solal des Romans, mal ein Chamäleon, mal ein ältlicher abgerissener Jude, mal ein strahlender Frauenverwickler mit üppigen schwarzen Locken. Sie übersah dabei souverän, daß es um Blumenbergs Judentum komplizierter und durch die katholische Taufe anders stand, vor allem aber übersah sie, daß er ein Familienmann mit zwar exzentrischen, aber eisernen Gewohnheiten war, der sich weder kopflos noch strategisch in irgendwelche Abenteuer stürzte.

Wie kamen sich die ungleichen zwei überhaupt näher? Obwohl Isa den ersten Teil des Romans beim Lesen genoß, konnte sie die Verführungsszenen nicht recht im eigenen Romangehäus unterbringen. Zwischen ihnen fing's anders an und nahm erst dann Cohens reißende Fahrt auf – mittlerweile hatten die Szenen eine solche Gewalt über sie, daß sie nicht nur während des Einschlafens alles wieder und wieder durchlebte, sondern auch am hellichten Tag, wenn sie in ihrem Alfa über die Autobahn fuhr, beim Fahrradfahren in der Stadt, wenn sie in der Vorlesung saß oder im Park der Universität auf einer Bank.

Es goß in Strömen. Jedesmal, wenn es in ihrem Kopf in Strömen goß, versuchte sie verzweifelt, den Film zu stoppen, aber keine Ablenkung half. Gerhard? Ach was, Gerhard. Gerhard war ein lieber, kluger Kerl, aber sie brauchte einen Mann, der sie mit Stumpf und Stiel ausrottete.

Es goß in Strömen. Sie stand durchnäßt am Straßenrand und hielt eine Mappe über den Kopf. Eine Peugeot-Limousine fuhr vorüber und setzte zurück, der Scheibenwischer arbeitete wie verrückt – sie konnte erst nicht erkennen, wer darin saß –, Blumenberg war's, der Professor höchstpersönlich! Er kurbelte das rechte Fenster herunter und fragte, ob er dem Fräulein helfen und es irgendwohin fahren könne. Sie lauschte dem Wort *Fräulein* nach, als sie im Wagen saß, längst hatten es die jungen Leute ausgemustert, aber aus Blumenbergs Mund klang es auf altertümelnde Weise bezaubernd.

Verfroren saß sie in Blumenbergs Wagen, er reichte ihr eine Jacke, die auf der Rückbank gelegen hatte, und deckte sie damit zu, und es entspann sich ein Gespräch in der trockenen Kabine, umschwemmt von Regengüssen, ein Stichwort fiel, *Spätzeitliebende*, sie waren Spätzeitliebende mit verfeinerter Aufmerksamkeit, bei denen alles möglich war, die Liebe konnte den Schutz des neuzeitlichen Höhlenmenschen angreifen und durchbrechen, da waren sie sich einig, aber nur der kürzeste Weg zur Liebe war

plausibel – logisch, daß sie beide die ursprünglichen Fahr-
ziele vergaßen, weil sie nicht mehr voneinander lassen
konnten und Kurs auf eine andere Stadt nahmen, die nicht
in Deutschland lag (in Isas Vorstellung blieb sie unscharf),
und in einem eleganten Hotel übernachteten, und dann –
ja dann entwickelte sich so ziemlich alles wie im Roman,
sie waren wurzellos und zogen von einem Hotel ins
andere, von den Luxushotels in die niederen Absteigen,
und huldigten ihrer Liebe, die schrecklich wurde und aus
theatralischen Gesten der Verstoßung – seinerseits – und
winselnder Demut – ihrerseits – bestand, was mehr und
mehr einer Travestie mit rotgemalten Wangen glich, mehr
als der hohen Schule der Liebe, der sie sich verpflichtet
hatten, als er ihr das Liebesjoch auferlegt und sie sich frei-
willig darunter gebeugt hatte, bis der Tod im Zimmer
stand, den er ihr zuerst gab, dann sich.

Sonntag

Gerhard bewohnte zwei winzige Kammern, sommers brüllend heiß, im Winter mausekalt. Sie lagen im Dach eines fünfstöckigen Neubaus, dessen Balkone wie halbierte Oktogone übereinander gestapelt waren. Seine Wohnung hatte allerdings keinen Balkon, statt dessen Luken, nur mit Gewalt zu öffnen, weil die Rahmen sich verzogen hatten. Siebzehn Jahre war das Haus alt, doch die Wände im Treppenhaus hatten schon die Krätze. Die ehemals vanillecremefarbene Ölhaut war grünlich verrunzelt und blätterte ab. Er vermied es, Isa dorthin einzuladen, obwohl seine beiden Kammern sauber waren, sauberer jedenfalls als die Zimmer Isas und die ihrer Mitbewohnerinnen. Seine Wohnung war so vollgestopft mit Büchern, daß man den mißratenen Schnitt, die scheußlichen Rauhfaserwände, die plumpen Plastikbeschläge an Fenstern und Türen fast vergessen konnte.

Der kleine Tisch, an dem er arbeitete, aß, auf dem er Zeitungen und Bücher ablegte, war an diesem Sonntag leergeräumt bis auf einige vollgetippte Seiten, einen Bleistift, einen Bleistiftspitzer in einem Behälter aus Bakelit und eine Tasse. Eine dünnwandige Tasse mit breitem goldenem Rand, elegant nach außen gewölbt, als Tee- wie als Kaffeetasse zu verwenden, auf einer Untertasse mit ebenfalls goldenem Rand. Gerhard trank aus dieser Tasse jeden Morgen seinen Kaffee. Eines von den vielleicht zehn

Stücken, die er nach der Auflösung des Haushaltes in Zuffenhausen mitgenommen hatte.

Es war keine Kinderzaubertasse, auf deren leergetrunkenem Grund sich ein Vögelchen auf einem Zweig oder eine Landschaft zeigte. Seine Mutter hatte an der Tasse gehangen, und er hing auch daran. Trank er morgens daraus den Kaffee, floß Traurigkeit durch seine Adern und Nerven, nur so lange, wie die Wärme des Kaffees vorhielt, danach waren die Traurigkeit und das Behagen an ihr verflogen. Gerhard liebte diesen Zustand, der von kurzer Dauer war. Er hatte seine Tasse nötig und übernachtete auch deshalb nicht gern bei Isa, weil er dann morgens auf sie verzichten mußte. Das war lächerlich; er gebärdete sich wie ein altes Tantchen, indem er so ein Theater um ein Stück Geschirr aufführte, gleichwohl war er überzeugt davon, die Ruhe, die er für den Tag benötigte, würde ihm morgens aus dem Grund der Tasse mit dem goldenen Rand zuströmen.

An diesem Sonntag wußte er nicht wohin. Mittag war schon vorüber, er hatte ewig lang im Bett gelegen, ohne zu schlafen. Mit Richard war er für den Abend verabredet, zum Arbeiten verspürte er wenig Lust. Die Euphorie, die ihn im Gespräch mit dem Professor ergriffen und die beiden letzten Nächte wach gehalten hatte, war fürs erste verflogen. Ihn befiel seine altbekannte Sonntagslähmung, weil er nicht mehr wie in Kindertagen zur Kirche ging und kein mittägliches Festessen auf ihn wartete. Sonntags vermißte er die Geschäftigkeit seiner Mutter. Sonntags wußte er nicht, was tun. Es war schon ziemlich warm in seinen Kammern, die Wohnung begann sich sommerlich aufzuheizen. Vielleicht eine kleine Tour mit dem Fahrrad?

Münster war sonntags so verdammt leer. Isa anzurufen kam nicht in Frage. Nicht, wenn er in dieser Stimmung war, da hörte er sich kleinlaut am Telefon an, das war für ihre Freundschaft Gift. Noch schlimmer war es, wenn er eine ihrer Mitbewohnerinnen an den Apparat bekam. Gerhard mochte die beiden nicht, und sie mochten ihn nicht. Immer wurde er kurz abgefertigt, dann machte der Hörer Klack-klack-Geräusche, offenbar baumelte er achtlos an der Wand.

Die beiden schienen Isa für sich gepachtet zu haben, jedenfalls wachten sie eifersüchtig über sie. Lesbierinnen waren es nach Aussage Isas wohl nicht, aber mit Männern hatte er sie noch nie gesehen. Der letzte Freitag abend lag ihm noch regelrecht im Magen. Als er kam, war gerade eine feministische Arbeitsgruppe zu Ende gegangen, die Frauen waren fröhlich, Gelächter ertönte schon im Außenflur, ein Munterkeitssturm, in den Gerhard einige Sekunden hineinlauschte, bevor er klingelte, aber als er hereinkam, herrschte das große Verstummen; die Frauen gingen grußlos an ihm vorüber zur Tür hinaus, bis auf eine, Hede, die er aus einem kunsthistorischen Seminar kannte. Sie blieb noch im Gang stehen und plauderte unbefangen mit ihm.

Isa war an dem Abend gut gelaunt. Sie fühlte sich wieder *dallowayisiert*, mit allem, was da kreuchte und fleuchte, sprach, ging, stand, schlief im Münsterland, aufs Glücklichste verbunden. Glücksportionen wurden großmütig ausgegeben und hergeschenkt. *Fear no more*, sagte Isa. Im Moment fürchtete er sich vor gar nichts. Die beiden hockten auf ihrem großflächigen italienischen Sofa, tranken Campari mit Orangensaft und ließen einen Joint hin und her wandern. Isa wollte ganz genau wissen, was ihm in der Sprechstunde widerfahren war. Zum ersten Mal hatte Gerhard den Eindruck, daß sie ihn bewunderte. Mit übergroß gewordenen, herrlich glänzenden Augen, Hände um die angezogenen Knie geschlungen, folgte sie seiner Beschreibung, fragte haarklein nach jedem Detail, damit sie alles von dem kostbaren Gespräch wie ein Gefäß aufnehmen konnte. Dazu löste sie die Finger von den Knien und führte mit ihnen zarte Dirigierspiele auf. Gerhard liebte es, wenn sie ihn auf diese intrikate Weise lenkte und leitete, und paßte seine Sätze dem Rhythmus ihrer Finger an. Er legte den Kopf etwas zurück und nahm den letzten Zug.

Ganz genau wollte sie wissen, wie der Schreibtisch ausgesehen und was auf ihm gelegen hatte. Dazu gingen Zeige- und Mittelfinger anmutig an der Luft spazieren. Ob es muffig im Zimmer gewesen war oder kühl. Wie sie sich begrüßt hätten. Jetzt machten die Mittelfinger kreiselnde Bewegungen. Was hatte an der Wand gehangen? Lauter Fragen, für die Gerhard Antworten improvisieren mußte, die in seinem Inneren wie Bläschen auftauchten und mit einem lautlosen Kichern zerplatzten, bevor er – verhältnismäßig korrekt – darauf einging. Zwar hatte er einige Ausführungen Blumenbergs im Gedächtnis, den intensiven Blick des Professors, sein lokkeres Dasitzen im Sessel, seine generösen Gesten, auch daß er aufgestanden war, zur Schrankwand ging und aus einem Schubfach ein Suhrkamp-Bändchen über den *Nemëischen Löwen* holte und ihm schenkte, viel mehr aber nicht. Für Isa setzte ihn Gerhard hinter den Schreibtisch, erfand Türme von Büchern auf diesem Schreibtisch und eine kleine Schneise, aus der Blumenberg hervorguckte, listig wie eine Maus und an einem Brötchen nagend. Muffig war es im Zimmer nicht gewesen, eher frisch; auf seine Nase war Verlaß.

Und an der Wand? Isa saß inzwischen im Schneidersitz da und hielt die Hände wie flache Schalen auf den Knien.

An der Wand, tja, an der Wand – Gerhard wollte erst sagen: eine ellenlange Schrankwand und sonst nichts, aber dann war ihm das zu fade –, an der Wand hatte ein Plakat von Patinir gehangen, die Heilige Familie auf der Flucht, während einer Rast mit weißen Säckchen und einem Korb im Grünen sitzend. Dahinter eine phantastisch schöne Berglandschaft mit gewundenen Wegen, direkt ins Blaue hinauf.

Er war jetzt so überzeugt von diesem Patinir, als wäre er selbst geradewegs von einer Bergwanderung aus dem Heiligen Gebiet zurückgekehrt und hätte seiner Freundin einen ungesäuerten Fladen aus einem der Säckchen überreicht.

Es ist noch mal gutgegangen, behauptete Gerhard, der Professor hat großmütig darauf verzichtet, mich zu fressen, als er mit seinem Brötchen fertig war.

Isa lachte, sackte dann aber in sich zusammen. Sie selbst würde es niemals wagen, einfach so zu Blumenberg in die Sprechstunde zu platzen, sie würde schon an der Tür tot umfallen, jedenfalls kein Wort herausbringen, krebsrot anlaufen oder bloß stammeln. Gerhard korrigierte sie, er sei ja nicht einfach so zur Tür hereinspaziert, er habe sich vorher schriftlich angemeldet, alles weitere sei dann wie am Schnürchen gegangen. Der Professor sei weniger schwierig, als alle Welt von ihm glaube. Man müsse bloß wissen, was man von ihm wolle, und zwar möglichst präzise.

Das ist es ja, sagte Isa versonnen, wenn man nur wüßte was.

In der Gemeinschaftsküche gab es dann Abendessen. Im Nu war die Restwirkung des Joints verflogen. Salzlose, zerkochte Spaghetti schwammen in wäßriger Tomatensauce. Biggi hatte gekocht. Biggi war die Blasse, Mürrische, mit den Sorgenfalten auf der Stirn, die unentwegt schwätzte, alles, was in Münster, in Amerika und in der Bundesrepublik vorging, kleinschwätzte, dabei Isa unentwegt belehrte, immer mit einem scheelen Blick auf ihn. Philosophie hatte sich längst überlebt, philosophische Systeme waren von Männern aufgeführte Gebäude, um die Frauen geistig in Schach zu halten, überflüssig wie ein Kropf. (Biggi studierte Pädagogik.) Fakten regierten die Welt. Das unterschiedliche Lohnniveau von Männern und Frauen – ein Fakt! Daß die Mädchen im Bildungssystem zu kurz kamen – ein Fakt! Und natürlich, daß die meisten Männer Vergewaltiger waren, ob sie's nun zugaben oder nicht. Ein Faktfakt. Dabei sah sie Gerhard kampflustig in die Augen, konzentrierte sich aber schnell wieder auf Isa, um sie vor diesem Vergewaltiger zu schützen, den im Moment allerdings der Mumm verlassen hatte, so ineinandergefaltet, wie er am Küchentisch saß. Alle ihre Sorgen schienen auf Isa ausgerichtet, und die ließ sich das unerklärlicherweise gefallen.

Wobei Isa ihr diese Sorgen wenig dankte. Eingeschlossen in eine unsichtbare Blase, zerpflückte sie mit der linken Hand Brot und schob winzige Stückchen davon in den Mund. Mit den Krümeln, die um ihren Teller verstreut lagen, hätte man ein Zwitscherbataillon Spatzen sättigen können. Sie hatte gar nicht zugehört, tauchte aber aus ihrer Blasenwelt, in die sie mit halb gesenkten Lidern weggeglitten war, wieder auf und brachte einige ihrer abenteuernden Sätze mit, die Biggis Konzept über den Haufen warfen, wenn auch nicht für lange: Wer sagt's denn, daß wir alle füreinander geschaffen wären (für den Augenblick war man verwirrt, wer derjenige war, der so etwas gesagt haben sollte); es hilft nichts, wenn wir einfach so weitermachen wie bisher; wir müssen alle finalen Rezepte überwinden, schließlich sind wir ja nur Vorzeichnungen von dem, was aus uns werden soll. Man muß den Absolutismus der Wirklichkeit abbauen und zu einer Figur der schönen Resignation werden.

Dazu hob sie mit der Gabel eine einzelne Nudel in die Höhe und betrachtete sie versonnen.

Plötzlich fing sie an zu kichern: Der Feminismus verleibt sich die Männer ratzekahl ein, jammerschade, irgendwann ist von den vielen kleinen Wimmelmännlein nichts mehr übrig. Dann wurde der Ton verschwörerisch: Wir müssen sehr, sehr achtgeben, damit uns der letzte Mann nicht auch noch von Bord geht; wobei der Ton gleich wieder ins Heitere umschlug: Vielleicht sind dann nur noch die Philosophen übrig, aber deren Interesse an Frauen ist nur so-là-là.

Gerhard fühlte sich unwohl wie schon lange nicht mehr, er verspürte nicht die geringste Lust zu diskutieren, weder mit einer soziologischen Autistin noch einer à la Blumenberg. Eine käsige Ruhe breitete sich in ihm aus. Deutliche Zweifel standen ihm auf der Stirn geschrieben. Er drehte den Kopf weg, sah auf den nicht sehr sauberen Fußboden und fütterte Biggis Kater mit einem Tropfen Tomatensauce, den er sich mit dem Löffel auf einen Finger gegeben hatte. Widerspruch hätte viel zuviel Energie gekostet, Widerspruch stieß auf taube Ohren. Er genoß die rauhe Zunge des Katers auf seinem Finger. Um das verrannte Gespräch anderswohin zu lenken, drehte er den Kopf wieder in die Runde und schlug etwas lau vor, er werde nächste Woche einen schönen Rinderbraten besorgen und Spätzle für alle kochen, wozu Isa mit den Fingerspitzen applaudierte.

Immerhin, auch Rena begrüßte die Idee. Rena war anders als Biggi, ein eher unabhängiger Typ, einsilbig. Sie war etwas pummelig, hatte ein hübsches Gesicht, lockiges, dunkles Haar. Gerhard störte sich an dem Geruch, der sie umgab. Rena roch schweißig, und das war ihm so zuwider, daß er maximalen Abstand zu ihr hielt. Im Augenblick, da er den Vorschlag mit dem Rinderbraten gemacht hatte, bereute er ihn. Absurd, für Leute kochen zu wollen, die ihm dermaßen auf die Nerven gingen (Isa natürlich ausgenommen).

Die eigentliche Überraschung des Abends kam aber, als Isa ans Telefon in den Flur gerufen wurde und Rena in ihrem Zimmer verschwand. Biggi setzte sich neben ihn und nahm ihren Kater auf den Schoß, der sofort sein Schnurrwerk anwarf. Biggis Hand wanderte zögernd nach Gerhards Hand hin, einer schönen Hand mit langen braunen Fingern, geschmückt von einem Siegelring, die ruhig auf der hölzernen Tischplatte lag, und es sah so aus, als wolle ihre schmale weiße Hand über seine Finger streichen; sie hielt aber kurz zuvor inne. Währenddessen starrte der pausbäckige Kater unverwandt auf das Fingergekrabbel, als wartete er auf den rechten Moment, mit einem Pfotenschlag dreinzufahren.

Sie wisse, er sei ein lieber Kerl, auf den Verlaß wäre. Es tue ihr leid, den ganzen Abend über dummes Zeug geredet zu haben. Sie habe sich über einen ganz anderen Mann geärgert, und dabei sei in ihrem Kopf alles durcheinander gegangen. Nicht weiter wichtig. Wichtig sei bloß, daß sie alle gemeinsam auf Isa aufpassen müßten. Daß er einen guten Einfluß auf sie habe, habe sie gleich gemerkt, einen sehr guten sogar. Jetzt müßten sie alle zusammenhalten und eben das Beste bewirken.

Gerhard war von dieser Wendung überrumpelt; vor Verlegenheit wurde er rot und brachte als Antwort wenig mehr als ein undeutliches Versprechen zuwege. Am meisten überraschte ihn Biggis Gesicht. Während der kleinen vertraulichen Ansprache war alles Gespannte und Mürrische daraus verschwunden. Als Isa wieder zurückkehrte, sprang der Kater vom Schoß und stelzte mit steifen Beinen zur Küche hinaus.

Auch wenn sich die Verhältnisse vielleicht zum Besseren gewendet hatten, war es klüger, nicht anzurufen. Die Haustür fiel mit einem metallischen Knall hinter ihm zu, als wolle sie ihn für immer aussperren. Draußen war es warm. Er verspürte keine Lust, noch einmal umzukehren und das Fahrrad aus dem Keller zu holen, schlug den Weg Richtung Innenstadt ein, um Zeitung zu lesen und einen Kaffee zu trinken.

Als er über den Prinzipalmarkt ging, kam jemand auf dem Fahrrad daher. Eine Erscheinung. Ganz in Weiß, in einem flatternden Gewand, das sich leicht in den Speichen verfangen konnte, kam sie dahergefahren, mit erhobenem Kopf. Auf den ersten Blick hatte er sie gar nicht erkannt, weil sie sonst kaum Weiß trug, höchstens ein weißes T-Shirt oder ein weißes Männerhemd. Er wedelte mit den Armen, um sie zu stoppen, und sie bremste tatsächlich.

Wo geht's lang?

Ihr Gesicht war gerötet. Sie sah ihn, ausgiebiger als nötig, mitleidig an und sagte dann in einem reichlich überspannten Ton: Dem Feld der Ehre zu.

Pause.

Sie musterte ihn, als habe er etwas ausgefressen. Er war einfach zu beschränkt, um etwas von den wesentlichen Dingen zu begreifen, von denen sie erfüllt war.

Gehen wir in ein Café und trinken was zusammen? fragte er mutlos, denn es war wenig wahrscheinlich, daß sie von ihrem Vorsatz, welchen auch immer sie gefaßt haben mochte, ablassen würde.

Isa senkte den Kopf und runzelte die Stirn wie ein Forscher, der eine schwere Nuß zu knacken hatte.

Das ist eine ganz und gar abwegige Idee, flüsterte sie, abwegig und unpassend.

Wieso abwegig?

Aus Gründen, sagte sie ernst, ich muß fahren. Wonach sie den Kopf hob, ihn strahlend ansah und einen Satz hinterherschickte, der ihm aus der letzten Vorlesung irgendwie bekannt vorkam: *Aller Ursorge enthoben, in den freundbesiedelten Schlaf.*

Sprach's, und trat wieder in die Pedale.

Er war alarmiert, stand wie verhext da, wußte kein Mittel, wie sie aufhalten, schon war sie zu weit weg, um im Laufen eingeholt zu werden. In der menschenleeren Stadt zeigte sich kein Taxi, das er hätte heranwinken können, um hinter ihr herzufahren. Ein Schild, auf das er zulief, weil er es von weitem für das Zeichen eines Taxistandes hielt, entpuppte sich von nahem als eine Anzeigetafel der Firma Löwenbräu.

Allumfassende Sorge

Es gab keine Möglichkeit, sich der Verpflichtung anders zu entledigen, als sie zu erfüllen. Eines alten Freundes wegen, dem er die Bitte nicht hatte abschlagen können, ihn noch ein letztes Mal zu sehen, mußte er nach Isenhagen. Es war Sonntag, und noch immer herrschte schönes Wetter, als er um die Mittagszeit losfuhr. Unterwegs fluchte er über die Abhaltung von der Arbeit. Seit Jahren hatte er sich keine so lange Autofahrt mehr zugemutet. Stunden würde ihn das Abenteuer kosten. Gerade von diesem Freund, der nun selbst in äußerster Dringlichkeit mit dem Phänomen der Zeitknappheit konfrontiert wurde, wäre zu erwarten gewesen, daß er seinen, Blumenbergs, prinzipiellen Kampf gegen die Zeitknappheit verstünde und darauf Rücksicht nähme. Waren ihm, dem Freund, etwa so viele Jahre während seiner Jugend geraubt worden? Hatte er, der Freund, sich je in einer aussichtslosen Aufholjagd befunden, die entrissene Zeit wieder hereinbringen zu müssen in ein anspruchsvolles Gelehrtenleben, und zwar unter fortwährender Anstrengung, so zu tun, als hätte es die geraubten Jahre nie gegeben? Man hörte offenbar nicht damit auf, ihm die Zeit zu stehlen.

Eine Weile war er am Waldrand von Hankensbüttel den Amtsweg entlanggefahren und kam nun in eine Gegend mit kleineren Häusern, umringt von Gärten, fand aber die Kurze Straße nicht. Hier mußte es irgendwo sein. Blumenberg parkte den Wagen, stieg aus und sah sich nach Leuten um, die er hätte fragen können.

Offenbar war spätnachmittags niemand in dieser Gegend unterwegs. Nicht einmal Radfahrer oder Sommerfrischler. In den Gärten zeigte sich kein Mensch. Aber doch, da, ziemlich weit entfernt, befand sich eine kleine schwarze Figur auf dem Gehweg. Beim Näherkommen machte sich Blumenberg Gedanken, wer diese einsame Figur wohl sei, bis er erkannte, daß er auf eine Nonne zuging, eine Nonne im schwarzen Gewand mit weißer Haube, die sich an irgendwelchen Büschen zu schaffen machte. Wahrscheinlich eine der Konventualinnen, die zum Kloster Isenhagen gehören, dachte Blumenberg.

Sie bemerkte ihn nicht, als er auf sie zuging, allzu beschäftigt, wie sie war, denn sie fuhrwerkte mit einer Gartenschere, die sie mit weiß behandschuhten Fingern umklammert hielt, energisch an einem Strauch herum, dessen üppig blühende Zweige über den Zaun hingen, während sie mit der anderen Hand den jeweils abzuschneidenden Zweig gepackt hielt, um ihn mit einer Geste des Unmuts zu Boden zu werfen.

Verzeihen Sie, sagte Blumenberg auf die höflichste und zarteste ihm mögliche Weise, dürfte ich Sie etwas fragen?

Mit einem Ruck drehte sich die kleine Person um; die Gartenschere kampfbereit gegen ihn gerichtet, funkelte sie ihn aus schwarzen Augen an.

Können Sie mir vielleicht sagen, wo ich die Kurze Straße finde? fragte Blumenberg.

Wortlos wies die Nonne auf den Weg, den er gerade gekommen war, mit einer jähen Kopfdrehung, was wohl hieß, daß er die nächste Biegung nach rechts nehmen sollte.

Von der Nonne ging eine eigentümliche Anziehungskraft aus. So klein sie war (sie reichte ihm kaum bis an die Schultern) und so alt sie sein mochte (gewiß neunzig Jahre oder mehr) – Blumenberg hatte noch nie eine derartige Energie in einer Person versammelt gesehen.

Darf ich mich erkundigen, was Sie da tun? hörte er sich selbst sagen und wunderte sich, daß er eine Frage, die womöglich verwickelte Erklärungen auf den Plan rief, überhaupt gestellt hatte, blickte dabei auf die abgeschnittenen Zweige zu ihrer beider Füße und sah ihr wieder in die Augen.

Die Nonne hatte einen wunderbaren Alterskopf, flintscharfe Züge, eine sehr helle Haut, ihr Gesicht umrahmt von einer kompliziert gefältelten weißen Spitzenhaube, darunter lag ein ebenfalls weißer Spitzenkragen. Sie war – ihm fielen keine besseren Wörter dafür ein – eine *ruhmreiche, gloriose Erscheinung*.

Wie ich sehe, sagte Blumenberg, sind Sie in einem äußerst wichtigen Geschäft befangen, bei dem ich Sie nicht länger stören will.

Sie haben es erfaßt, sagte die Nonne.

Als er sich mit einem Abschiedsgruß zum Gehen wenden wollte, fragte sie: Wen haben Sie denn dabei?

Blumenberg drehte sich überrascht um – und Tatsache – der Löwe hatte ihn begleitet, war hinter ihm hergeschlichen, ohne daß es ihm aufgefallen war.

Er folgt mir seit zwei Tagen, sagte Blumenberg, aber für gewöhnlich bemerkt ihn kein Mensch.

So! Die Nonne stieß das S mit ungewöhnlicher Schärfe hervor: Dann handelt es sich um eine Auszeichnung!

Vielleicht. Da bin ich mir leider nicht so sicher, wie Sie es offenbar sind. Aber verraten Sie mir jetzt, was Sie hier tun, nun, da wir über meinen Begleiter auf nicht ganz herkömmliche Weise miteinander bekannt geworden sind? Ich zweifle nicht, daß Sie ernsthafte Geschäfte zu verrichten haben – übrigens: Blumenberg, mein Name.

Er reichte ihr die Hand, die sie zögernd ergriff. Inzwischen hielt sie die Schere nicht mehr gegen ihn gerichtet, sondern gesenkt.

Käthe Mehliss.

Der scharf herausgezischte S-Laut blieb noch einen Moment über das Verklingen hinaus in seinen Ohren hängen. Kaum hatte die Konventualin ihren Namen genannt, fuhr sie übergangslos fort: Wildwuchs gehört beschnitten. Wo kommen wir hin, wenn auch noch die Gehwege zuwachsen.

Wie zum Beweis, daß ihre Tätigkeit durch das kleine Gespräch keineswegs hinfällig geworden war, ergriff sie erneut einen Zweig, schnitt ihn ab und warf ihn Blumenberg vor die Füße.

Sie sind eine Perfektionistin, das sieht man gleich, sagte Blumenberg anerkennend, Sie können nicht anders. Sie tun es aus Sorge, aus allumfassender Sorge.

Ordnung schaffen, Ordnung halten. Den Wildwuchs in die Schranken weisen. Das ist meine Aufgabe. Wo man steht und geht, herrscht eine unbegreifliche Nachlässigkeit. Und das geht weit über die Pflanzen hinaus.

Beim Wort *Aufgabe* stand die winzige Mehliss aufrecht wie eine Soldatin: Sie sind der Erste, der begreift, was ich tue. Kein Wunder, da Sie ja ihn an Ihrer Seite haben.

Als hätte er durch die Nonne eine Ermunterung erfahren, blickte der Löwe interessiert an ihr hoch, nicht allzu hoch allerdings, denn sie überragte ihn nur um ein weniges. Ruhig nahm er hin, daß ein weiterer Zweig nun direkt vor seinen Tatzen landete.

Sie haben ihn verdient, sagte Käthe Mehliss mit Bestimmtheit, jawohl, verdient. Mit ihren schwarzen Knopfaugen fixierte sie ihn jetzt milder als zuvor.

Ich vermute, Sie gehören dem Damenstift in Isenhagen an, sagte Blumenberg, worauf er ein knappes Ja zur Antwort erhielt.

Käthe Mehliss schien sich nur noch für den Löwen zu interessieren, ein wenig beugte sie sich zu ihm hinab: Er hat schon bessere Tage gesehen. Allzuviel werden Sie nicht mehr an ihm haben.

Sie nahm wieder ihre soldatische Position ein und sah Blumenberg streng in die Augen: Wären Sie ihm in seiner Jugendzeit begegnet, hätten Sie ordentlich vor ihm gekuscht. Aber jetzt – nun ja. Seine Tage auf Erden sind gezählt, meine sowieso, die Ihrigen wohl auch.

Blumenberg konnte sich nicht genug wundern. Ob die Nonne mit ihrem erstaunlichen Klarblick ein wenig Rückschau betreiben könne? Womöglich wisse sie, wen der Löwe begleitet hatte, bevor er sich in seinem Arbeitszimmer einfand?

Käthe Mehliss lächelte und wehrte ab – zu solcher Auskunft sei sie nicht befugt; wobei sie einen schnellen Blick nach oben schickte und hinzufügte, ein zu Gottes Lob erschaffenes Wesen habe überall seine Wohnstätte. Wegen der Einzelheiten müsse er sich anderweitig erkundigen. Außerdem halte er sie von ihren Geschäften ab.

Blumenberg machte eine leichte Verbeugung. Auf Wiedersehen, sagte er, es war mir eine Ehre, Ihnen begegnet zu sein, wirklich, eine Ehre, und damit drehte er sich um und ging mitsamt Löwe wieder den Weg zurück, den er gerade gekommen war.

Blumenberg fand endlich das Haus des Freundes, fand den Freund im Beisein der Frau hinten im Garten unter einer Blutbuche in einem Korbstuhl sitzend. Zuvor aber war, als er das Gartentor aufklinkte, ein Rottweiler herangeschossen und hatte ihn grimmig gestellt. Blumenberg vermied es, ihn zu fixieren, aber er sprach auf ihn ein, und nach wenigen Sätzen entspannte sich der Hund, grollend zwar, als müsse er die Einsicht erst verdauen, daß ein bedeutender Philosoph mit ihm redete und er sich in diesem Eindringling getäuscht hatte, dann wurde er zutraulich und geleitete den Besucher ohne Geknurre ums Haus herum in den Garten.

Die zartroten Frühlingsblätter flirrten im Sonnenlicht, ein sanft hin und her wogendes Laubmeer, würdig, von einem Dichter beschrieben zu werden. Auf den ersten Blick war das eine Idylle. Trotzdem war Blumenberg bestrebt, den Besuch möglichst zu verkürzen. Er ertrug die zitternden, mit Altersflecken besäten Hände des Freundes schlecht, sein gurgelndes Reden, die Speichelklümpchen, die sich weißlich in den Mundwinkeln abgesetzt hatten, seine Sätze, die ausgerechnet jetzt, da es ihm schwerfiel, sie herauszubringen, in Plapperei ausarteten, begleitet von Ungeduld und Unmut, mit denen er die Frau, die emsig alles zum Kaffee herbeischaffte, immer wieder versuchte wegzuscheuchen. Blumenberg empfand diese Szenen als peinigend. Er schwieg.

Der Löwe zeigte sich nicht.

Inzwischen waren Frühlingsfrische und Himmelsklarheit, die noch am Morgen geherrscht hatten, unmerklich gewichen. Von Warmluft hergetrieben, schoben sich Wolken unter das Blau. Der Himmel bezog sich mit einem mausfarbenen Grau, nur noch vereinzelt brachen Sonnenstrahlen durch die Decke. Die Farben ringsum verloren ihre Leuchtkraft und wurden schläfrig. Obwohl sie im schattigen Garten saßen, fühlte Blumenberg, daß er im Nacken zu schwitzen begann. Es war ihm unangenehm. Was die Leibesirritationen betraf, hatte er am schauerlichen Anblick seines Freundes genug.

Immerzu kam ihm das scharf gezeichnete Gesicht von Käthe Mehliss in den Sinn, das so glorreich die Zeichen des Alters trug. Ihre Haube, die den Kopf sorgfältig verpackt hielt, als wäre er ein Juwel. Die Kargheit und Bestimmtheit, mit der sie ihre Worte wählte. Nichts davon beim Freund. Nur die Schreckensmale von weichlicher Auflösung und Verderbnis. Dabei war er einst ein straffer, muskulöser Mann gewesen, tätig und rege, sich für nichts zu schade, ein Energiebündel, das ihre gemeinsame Ägyptenreise vor Jahrzehnten Punkt für Punkt im voraus fixiert und den Plan dann mit bemerkenswerter Zähigkeit in die Tat umgesetzt hatte. Nach einer Dreiviertelstunde verabschiedete sich Blumenberg von der Ruine, die einst der Freund gewesen war, und fuhr wie in Panik davon.

Seine zügige Fahrt wurde kurz vor Münster gebremst. Er geriet in einen Stau, Zorn wallte in ihm hoch. Daß ihm diese dumme Aufhaltung zusätzlich widerfahren mußte! Wütend klopfte er gegen das Lenkrad, was das Vorwärtskommen keinesfalls beschleunigte. Als der Verkehrsstrom ganz zum Erliegen kam, stieg er, nachdem er einige Minuten nervös gewartet hatte, aus, um die Malaise zu überblicken. Weit vorne, bei einer Brücke, blitzten blaue Lichter, offenbar ein Unfall. Er drehte den Kopf, um ein

Bild von dem hinter ihm sich auffädelnden Stau zu gewinnen, da sah er den Löwen auf der Rückbank liegen. Eigentlich war es hinten viel zu eng für das Tier, der ganze Wagen sah aus wie mit lauter gelbem Fell vollgestopft. Als wäre ein Kippschalter in ihm umgelegt worden, beruhigte Blumenberg der Anblick des eingezwängten Löwen, seine Stimmung wechselte von Ungeduld und Zorn zu Heiterkeit. Er öffnete die hintere Wagentür, um seinem Löwen Erleichterung zu verschaffen.

Unterdessen hatte die Himmelsbeleuchtung gewechselt, von einem hellen, kompakten Grau zu einem schwärzlichen Drohdunkel. Pralle Wolken türmten sich auf, darüber hinweg flog eine schnelle Jagd losgerissener Fetzen. Links der Autobahn stieg der Wald in breiten, dichten schwarzen Wogen einen Hügel hinauf. Auf- und niederlaufende Blitze zuckten über ihn hinweg. Der Donner war aber noch ziemlich weit entfernt.

Blumenbergs Vordermann, ein dicker BMW-Fahrer, dessen Knöpfe am gestreiften Hemd schier wegplatzten, Hemd, das er über der Hose hängend trug, war ebenfalls ausgestiegen. Behutsam, wie einen kostbaren Schatz, hielt er einen winzigen Rauhhaardackel vor die Brust gedrückt, ließ ihn zu Boden und hakte das rosafarbene Halsband an einer rosafarbenen Leine fest. Ruhig hatte sich das Hündchen an der Brust verhalten, kaum spürte es den Asphalt unter seinen krummen Beinen, strabelte es, soweit die kurze Leine es erlaubte, die kreuz, die quer. Als es zufällig in Richtung Löwe sah, wurde es einen Augenblick ganz starr, wuselte dann aber wie zuvor herum.

Blumenberg lachte in sich hinein und geriet mit dem Mann in eine Konversation über den eigensinnigen Charakter von Dackeln, wogegen kein Kraut gewachsen war (obwohl das Maxl eine rühmliche Ausnahme bildete); sie unterhielten sich lübeckisch spitz und fränkisch das R rollend über die Vorzüge von Rauhhaardackeln gegenüber Kurzhaardackeln, orakelten über das Wetter, das sich über ihren Köpfen zusammenbraute, und wie lange die Schererei wohl noch dauern würde, wobei sich Blumenberg, einen Arm lässig auf dem Dach seines Peugeot abgelegt und mit den Fingerspitzen flotte Synkopen darauf trommelnd, als Optimist zu erkennen gab (und damit recht behalten sollte), der BMW-Fahrer hingegen als eingefleischter Pessimist.

Dicke Tropfen fielen herab, zerplatzten laut auf dem Wagendach. Blumenberg schloß rasch die hintere Tür und stieg vorn wieder ein. Den Löwen auf die enge Bank zurückzustopfen war, da an der Wagentür keinerlei Gegendruck spürbar geworden, ohne die geringste Mühe vor sich gegangen.

Langsam, wieder und wieder stockend, setzte sich die Kolonne in Bewegung. Etwas zügiger rollte Blumenberg am blaulichtumzuckten Ort des Geschehens vorüber, wo ein gelber Lastwagen hinter der Autobahnbrücke auf dem rechten Fahrstreifen stand. Inzwischen goß es in Strömen, die Scheibenwischer arbeiteten auf Hochtouren. Was für ein Unfall geschehen sein mochte, war nicht zu erkennen. Jedenfalls befand sich kein beschädigtes Auto an der Seite.

Nr. 255431800

Gegen 15 Uhr zog sich Isa weiß an. Ein langes, fließendes Kreppkleid, weiße Kniestrümpfe und mädchenhafte Riemchenschuhe aus durchbrochenem Leder, die sie vor Jahren gekauft und nie getragen hatte. Sie stellte sich damit vor den Spiegel und kam sich absurd vor. Wie eine Debütantin mit weißer Perlenkette, jedenfalls nicht wie Patti Smith. Fehlte bloß noch der Wiesenblumenkranz im Haar und ein Sonnwendlächeln. Sie zog den Mund kraus. Wie ein ironischer Schnörkel, dieser Mund, sagte sie sich, war aber sogleich von sich hingerissen. Ihre Augen so tief, tief, tief. Die Haut so weiß. Alles so weiß. Die Augenbrauen wie flachliegende Satzklammern, jetzt hoben sie sich, jetzt senkten sie sich, hoben sich wieder, senkten sich wieder, war das nicht schön? War sie nicht eine Wundermaschine? Ein nervtötend fades Leben hatte die Wundermaschine bisher führen müssen, nein, nicht nervtötend, sondern flau dahingleitend im ewigen Halbschlaf, warum so flau, konnte ihr einer sagen, warum, aber es war hinter ihr zerstäubt, dies flaue, fade Leben. Und was kam jetzt? Etwas Großes, Blasses, Bereitwilliges, sie nahm ein Papierschirmchen in die Hand, das auf einem Stück Cocktailmelone gesteckt hatte, öffnete es, schloß es, öffnete es.

Benedictus, hauchte sie, den Verläßlichkeitsmangel der Welt, der alles beherrscht, wiedergutmachen, gell, darum geht's? Benedictus, hauchte sie Richtung Spiegel, als beschwöre sie jemanden aus der Luft, und begann vor sich hin zu summen.

Es goß in Strömen.

Plötzlich zogen sich ihre Augenbrauen zusammen, sie hob tadelnd den Zeigefinger und sagte todernst: Beim letzten Mal sind die Sätze ziemlich schamlos aus dir herausgequollen, wie Schleim, aber ich habe sie gehört, jawohl, ich habe gehört und verstanden.

Sie ging ans Regal, spulte die Musikkassette zurück, drückte auf den Spielknopf und sagte versonnen, als wäre das Gerät für sie neu: Eiderdaus.

The River ertönte jetzt schon zum zweiundzwanzigsten Mal, laut, viel lauter als sonst. Niemand beschwerte sich. Ihre Mitbewohnerinnen waren ausgegangen, der Kater hatte sich verdrückt. Springsteen ging auf Wasserfahrt, down to the river, Springsteen kostete das *down* mit Inbrunst aus, röhrte vom ärmlichen jungen Paar, dem kein Glück beschieden war, stromabwärts, hinunter, immer hinunter ins Wasserverwühlte ging die Liebesfahrt, ein bohrender Sog, geschmeidig, kraftvoll, dunkel zu den offenen Fenstern hinaus. Natürlich war Blumenberg kein Bauarbeiter, der für die Johnstown Company arbeitete, seine Konstruktionsarbeiten spielten sich auf dem Papier ab, aber der brennende Blumenbergblick wurde durch Springsteens Stimme lebendig, seine Augen starrten sie an.

Es goß in Strömen.

Sie betrachtete einen ihrer Knöpfe, als hätte sie ihn nie zuvor gesehen. Er war klein, weiß und hatte Zacken wie ein Zahnrädchen. Eine schwarze Linie schlängelte sich unter den Zacken einmal rundherum. Er stammte nicht aus der Fabrik ihres Vaters, da wurden solche Knöpfe nicht hergestellt. Ihr kamen die Poliertrommeln in den Sinn, die am Kopfende der Fabrik in einer Reihe standen, gefüllt mit Holzstückchen und Polierpaste, worin schimmernde Perlmuttknöpfe so lange gedreht wurden, bis sie auf Glanz gebracht waren.

Sie hatte die Knöpfe von einer alten getrödelten Bluse abgeschnitten und an ihr Kleid genäht. Vor langer Zeit hatte sie einmal im Radio ein Hörspiel aus den fünfziger Jahren gehört, da verschwanden Mädchen, und aus ihnen wurden Knöpfe gemacht. Schöne Knöpfe, einzigartige Knöpfe, mindestens so schöne Knöpfe wie der, den sie jetzt, den dünnen Stoff wie ein spitzes Berglein hochziehend, zwischen den Fingern hielt. Ob sie lauter Knopfmädchen vor dem Busen trug? Wie viele waren es? Eins, zwei, drei, vier, fünf – sechs. Sie war vielleicht auch ein Knopfmädchen, aber ihre Verwandlung stand noch bevor.

Sie ließ vom Knopf wieder ab und ging vor den Fenstern hin und her. Vielleicht sollte sie an seinem Haus vorbeifahren, nur um zu sehen, ob der Strauß noch vor dem Eingang lag.

Bestimmt nicht.

Der Alfa war gestern abend, als sie ins Kino wollte, nicht angesprungen und würde sich jetzt ebensowenig vom Fleck rühren. Vierundzwanzig weiße Lilien, gehüllt in weißes Seidenpapier, umschlungen von einem grünen Samtband mit winziger Karte, Samtband, das man zu Rokokozeiten am Kleid getragen hätte, um den Busen abzuschnüren. Im Papierwickel unten ein Tütchen *Blumenfrisch*, damit sie länger hielten. Sie ärgerte sich. Das Tütchen war der Gipfel der Albernheit. Wie lange hielten sich Blumen maximal, wenn man ihnen regelmäßig frisches Wasser gab und sie anschnitt? Fünf Tage, zehn

Tage? Sie wußte es nicht, hatte mit Schnittblumen keine Erfahrung. Ihm war zuzutrauen, daß er Blumen haßte.

Springsteen röhrte sich nun zum dreiundzwanzigsten Mal das ausgetrocknete Flußbett hinab.

Das Kärtchen! Ob er es überhaupt gelesen hatte? Verwundert? Amüsiert? Das Ding zwischen den Fingern gedreht und was Kluges oder was Schleimiges dazu gesagt? Oder hatte seine Frau den Strauß gefunden und ihn mitsamt Kärtchen gleich in den Müll geworfen? Warum bloß war sie auf so eine Schnapsidee verfallen. Wenn er's gelesen hatte, war's doppelt und dreifach peinlich. Peinlich, peinlich, peinlich. Sie wollte sich jetzt nicht erinnern, was sie da geschrieben hatte. Blablabla, der typische Verliebtenstuß, *weil ich nicht anders kann, als Sie mit jeder Faser meines Herzens verehren.* Schwachsinn. Einen Mann mit kahler Schädeldecke und kleinem welligen Haarkranz an den Seiten verehren. Der reine Schwachsinn. Sie hatte ihn bloß gefoppt. Ihren Namen hatte sie zwar nicht preisgegeben, aber er war bestimmt draufgekommen, er hatte sie ja immer angesehen während der Vorlesung, hatte aufgeblickt, sie angesehen und in ihren Augen das große Licht entzündet. Dochdoch, das große Licht. Seither war sie gebenedeit, nein, Blödsinn, gepeinigt in seinem Namen.

(Daß es sich mit dem Blumenstrauß anders zugetragen hatte als ausgemalt und befürchtet, konnte Isa nicht wissen. Ein junger Mann war in der Dämmerung am Grünen Weg 30 vorbeigelaufen, hatte den Strauß hinter dem Gartentor liegen sehen, hatte sich unbemerkt hineingeschlichen und ihn entwendet, um ihn seiner Liebsten zu bringen, das Kärtchen natürlich abgerissen und in einen Papierkorb geworfen, wo es den üblichen Weg der Leerung, des Mülltransportes und schließlich der Verbrennung ging.)

Auf ihrer Haut überlief sie's wirr. Er und sie lebten in einer kleinlichen Welt voller Nein. Sie würde jetzt alles auseinanderfalten, was in ihr war, Böses, Gutes, Dummes, Gescheites, Peinliches. Zeit, mit der eigenen inneren Weltauslegung zu beginnen. Peinlich, sie war peinlich. Die unwiderrufliche Wohlgelittenheit hatte sie nicht bei ihrem Gott gefunden und war dadurch peinlich geworden.

Es goß in Strömen. Sie war durchnäßt.

Scheiße! überbrüllte sie Springsteen.

Sie waren nicht zwei verzweifelte junge Leutchen, nicht Romeo und Julia aus der amerikanischen Provinz, die keinen Ausweg wußten. Peinlich, peinlich, der Gott ihrer Wahl war ein alter Mann.

Es goß in Strömen. Der Scheibenwischer arbeitete wie verrückt. Blumenberg öffnete die Wagentür.

Mit Springsteens Stimme und einem über die Schulter gehängten Täschchen wanderte Isa aus dem Zimmer, wanderte aus der Wohnung, wobei sie keine Mühe darauf verschwendete, die Tür hinter sich zuzuziehen, wanderte zu ihrem Fahrrad, das sie unverschlossen vor dem Haus abgestellt hatte, setzte sich auf den Sattel und fuhr los. Erst als sie hundert Meter oder mehr gefahren war, hörte sie Springsteens Stimme nicht mehr.

Es machte Spaß, in den leeren Straßen herumzufahren, nachmittags bei warmem Wetter. Wie dumm, daß ihr mitten in der Stadt ausgerechnet Gerhard in die Quere kommen mußte, vielleicht aber auch nicht dumm, immerhin, er hatte ein Anrecht auf ein bedeutendes Wort, das er immer behalten würde. Aber sie durfte sich nicht ablenken lassen, von ihm schon gar nicht, Gerhard war stur, der gab nicht so schnell auf, sie radelte wieder los und radelte und radelte, wobei es ein Wunder war, daß sich das lange Flatterkleid nicht in den Speichen verfing, sie kannte den Weg, den sie schon öfter mit dem Alfa gefahren war, er führte auf breiten Straßen aus der Stadt hinaus, wo der Verkehr mächtig zunahm und sie selbst, das fühlte sie deutlich, in ihrem weißen Kleid wie ein Engel, ein Blumenmädchen aus dem Nirgendwo, das nicht in solchen Verkehr gehörte, wahrgenommen wurde inmitten all der sonntäglichen Kaffeefahrer, die sie verblüfft überholten, nichts konnte, rein gar nichts konnte ihr geschehen, sie hätte auch gegen den Gegenverkehr anfahren können, sie war der lebendige Gegensatz zur Welt und auf der Flucht, auch Fliehen ist Handeln, und Blumenberg – Blumenberg hatte ihr diesen Gegensatz angesonnen, Blumenberg hatte ihr Bescheid gestoßen, er schob sie von hinten an mit seinem langen, ellenlangen Zeigefinger, den er ihr in den Rücken gebohrt hatte und mit dem er bis an ihr Herz vorgedrungen war, fahr, fahr, fahr voran, mein armes durchtränktes Seelchen, fahr, du schlägst noch mit den Flügeln und erhitzt dich im weißen Kleid, bräutlich gestimmt nach Art der Engel, nicht der Menschen.

Der Himmel hatte sein leichtgewichtiges Blau verloren und sich mit Blei bezogen. Isa schwitzte. Ihre Finger krampften sich um den Lenker.

Am Ziel angekommen, stieg sie umständlich vom Rad. Auf einer Brücke, unter der die Autos dicht an dicht durchfuhren, drei Spuren hin, drei Spuren her. Es kam jetzt auf jede noch so kleine Bewegung an, obwohl ihre Arme und Beine, bedeckt mit einem Schweißfilm, zittrig und krampfig vom langen Radfahren, nicht richtig gehorchten. Ein Schwarm Krächzvögel flog dem fernen

Wald zu. Grober Spott lag in ihren Stimmen. Nicht sich beirren lassen. Die Bewegungen mußten verständig ausgeführt werden, ein Guru hatte zu Meditationszwecken das Heben und Senken der Beine, das Heben und Senken der Arme, Stehen und langsames Gehen befohlen, Ferse abrollen, auf den Zehenspitzen wippen, weiter so.

Sie hatte das Perlentäschchen in den Fahrradkorb gelegt. Ein Geschenk der Mutter. Es hatte eine besondere Bewandtnis mit diesem Täschchen. Ein Gefangener hatte Perle um Perle aufgestickt, eine leicht kitschige Geduldsarbeit, die sie immer im Schrank verwahrt hatte, weil es ihr unmöglich war, mit einem an einer Kette hängenden Perlentäschchen, so einem niedlichen, süßen Ding, das dauergewellte Frauen abends ins Theater oder in die Oper mitnahmen, mit so einem Ding in Münster herumzulaufen. Weil ein Gefangener, sogar ein Lebenslänglicher, es gemacht hatte, hielt sie es trotzdem in Ehren.

Mein Geschlechtstäschchen, sagte sie laut und kam darüber ins Lächeln, sogar mit rotem Innenfutter.

Was genau war denn im Geschlechtstäschchen drin? Hm? Ein lauer Wind fuhr in ihre dünnen Haare. Sie grübelte mit zusammengezogenen Brauen wie ein Kind, das Fünf und Sieben zusammenzählen muß, während die Hände das Brückengeländer umklammerten und das rechte Bein auf die andere Seite schwang: Ein Hundertmarkschein ist drin, Dummkopf, das mußt du doch wissen, in der kleinen Börse mit dem Druckknopf, der nicht richtig schließt, bißchen Kleingeld, bestimmt ein Fünfmarkstück und paar Zehner, und was ist mit dem Tempotaschentuch, hm? wozu braucht's denn ein Tempotaschentuch? ein oder zwei Tempotaschentücher, verkrumpelt, mit Rotz drin, hm? nicht schön gefaltet, nicht sauber, ja und was haben wir denn in dem kleinwinzigen Innentäschchen? einen Lippenstift von Chanel, hellrot, der so trocken klackt, wenn man die Haube abzieht, und das Puderdöschen, ös-chen, ös-chen, wieder so ein niedliches Ding mit falschen Brillanten als eingelegte Sterne auf blauem Grund, wenn man's öffnet, schlägt's wie ein Schmeichler die Augen auf, das unschuldige Ding, und, ja was denn noch? noch was und noch was, werden wir hier denn nie fertig, der Augenbrauenstift, von dem immer die Kappe herunterrutscht, ein Lippenkonturstift – unten im Verkehr tauchte ein großer, langer gelber Laster auf – und nicht vergessen, ja nicht vergessen, was denn? den Personalausweis natürlich, kleiner Dummkopf, wo hast du bloß deinen Kopf, den Personalausweis hat ein ordentliches Schwabenkind immer dabei, ausgestellt in Heilbronn mit einem Bild, auf dem das Persönchen in Schwarzweiß aussieht, als wär's bös auf die Welt, aber was, um Gotteswillen, was will jetzt der Spatz auf dem Geländer, der so lustig mit dem Kopf ruckt, der – da war das linke Bein hinübergeschwungen, waren die Hände gelöst, und sie flog auch schon, flog engelgleich –

Wenn immer behauptet wird, in den letzten Sekunden zöge das Leben in rasendem Lauf vorüber, so trifft das in dem Fall nicht zu. Isa dachte an ihren Augenbrauenstift. Nicht an Blumenberg, wie es doch zu erwarten gewesen wäre. Bestimmt hatte sich die Kappe wieder gelöst und der Stift das Innenfutter verschmiert; sie flog und dachte mit aller Gewalt an die Schmiererei, biß die Zähne zusammen, fest, daß vom oberen linken Schneidezahn ein Stück absplitterte. Eine zu vernachlässigende Größe gemessen daran, was alles splitterte und brach, als der Körper auf dem Asphalt aufschlug.

Kurzes Zwischenstück darüber,
wo die Zuständigkeit des Erzählers endet

Was weiß ein Erzähler, was weiß er nicht? Ob der Erzähler wirklich wissen kann, was einem Selbstmörder zuletzt in den Sinn kommt, ist fraglich. Natürlich, welche Kleidungsstücke getragen wurden, wie die Verlassenschaft aussah, welchen Anblick die Leiche bot, wie nah- und fernstehende Menschen darauf reagierten, das alles hat der Erzähler bis ins kleinste Detail bei sich vermerkt; er braucht nur geschickt zu wählen, geschickt auszulassen, und er darf dabei nicht allzu streberhaft sein Aufzählungsmaschinchen in Gebrauch nehmen (unter einem Riesenhaufen an Kleinigkeiten wird sonst unmerklich und ohne Gefühlsverhaftung weggestorben). Gesetzt den Fall, all dies sei berücksichtigt und mit dem nötigen Schwung versehen: siehe da, vor den Augen des mitfühlenden Lesers löscht sich ein Buchstabenleben selbst aus.

So ein Selbstmörder tut's schlüssig, auch wenn er vorher noch ein wenig gezögert, die eine oder andere Hampelei ihn aufgehalten haben sollte, was der Erzähler selbstverständlich auch weiß, weil er ihn ja tage- und wochen-, vielleicht monatelang bei der Vorbereitung des Schlamassels hat beobachten können. Aber was genau der Selbstmörder gedacht hat? Gedankenhetze, Gedankenstillstand im letzten Augenblick? Oder der totale Rückblick, inwärts in Zeitlupe, von außen gesehen als Raffung? Sekunde der Befruchtung der Eizelle? Geburtsschrei, erster Klaps auf den Po? Kehrt, was in der Kümmerlichkeit der Erinnerung nicht geborgen ist, mit Macht zurück? Über das Individualgedächtnis hinaus? Durch alle auf der Erde stattgehabten Formen hindurch bis zur Schöpfungsnanosekunde, damit alles Gewesene innerhalb einer Sekunde imaginativ vernichtet wird und das große Aufzehren alles nimmt, was je in die Existenz eingetragen wurde?

Mit welcher Überlegenheit auch immer der Erzähler vorgibt, Bescheid zu wissen, er fischt hier bloß Luft aus der Luft. Wenn er ehrlich wäre, müßte er passen. Der Fall Isa scheint zunächst klar. Wir haben es mit einer Verliebten zu tun, die sich im Irrealis verfangen hat. Eine riesige erotische Sehnsuchtswolke trägt die schmale Person mit sich herum, geschwellt von unerfüllbaren Wünschen, die bis in den Himmel hinaufsteigen; auf ihr tyrannisches Geheiß springt sie von der Brücke. So weit, so plausibel. Die Verfinsterung treibt und bläht den Menschen, überstäubt ihn mit falschem Zucker, bis kein Genuß in der Wirklichkeit mehr möglich ist. Aber krallt sich die Wirklichkeit nicht jäh an den todbereiten Menschen an, genau in dem Augenblick, in dem es zu spät ist? Wenn eine besonnene Rückkehr nicht mehr möglich ist? Und als was blitzt das Wirkliche auf und strahlt in unwahrscheinlichem Glanz? Kleinklein, als Inhalt eines Krimskramstäschchens? Oder anders, als Spatz, in dessen ruckhaftem Hupf und Köpfchenwenden Heiterkeit und Anmut geborgen sind, daß man sich eigentlich bloß an den Haaren fassen und vergnügt loskichern müßte? (Ironie des Spatzen: hätte sich Isa in die Haare gegriffen, wäre sie aus der Balance geraten, und die Schwerkraft hätte sie ebenso erledigt.)

Dem Erzähler ist jedenfalls die Idee lieb und teuer, daß der Selbstmörder im letzten Moment von der Wirklichkeit verspottet wird, die er so geschmäht und vernachlässigt hat. Wie weggeblasen, all der falsche Zauber. *Kömmt dann Wahrheit mutternackt gelaufen*, kehrt sich alles um. Habhaft und stark ist sie, die Lebenswahrheit. Sie lacht den Selbstmörder aus, macht ihn zu einem jämmerlichen Idioten. (Diese Theorie würde der Erzähler natürlich nicht in Anschlag bringen gegenüber Menschen, die sich selbst töten, um der Folter oder der Ausrottung zu entgehen, die sich in einer Lage befinden, in der ihnen die Physis nur noch Qualen bereitet. Auch war ihm die Szene nie lächerlich vorgekommen, in der Sokrates den Giftbecher leert. Aber Sokrates war eben Sokrates, ein in Würde getrockneter alter Mann, der realistisch vermaß, was auf ihn zukam.)

Dem Leser steht naturgemäß frei, zu denken, was er will. Im Fall Isa mag er glauben, sie sei dem Phantom Blumenberg entgegengesprungen und kein einziger Wirklichkeitsschnipsel habe sich mehr zwischeneindrängen können. Bittesehr, dem Leser darf nicht widersprochen werden.

Da hier nun der Erzähler selbst bemüht wurde, soll er gleich noch in anderer Sache vorlaut wirtschaften dürfen, um dann für immer aus dieser Geschichte zu verschwinden: Gerhard. Der uns allen liebgewordene Gerhard, dem wir gewiß ein langes Leben gönnen. Der Erzähler, wieder souveräner Herr über die Zeit und auch ein bißchen der Faktenhuber, den wir bereits kennen, greift jetzt zu einem Enterhaken und holt eine spätere Stunde heran. Um genau zu sein: Stunde, die sich ereignet hat fünfzehn Jahre, sieben Monate und vier Tage nach jenem fatalen Sonntag im Mai.

Gerhard konnte damals, 1982, natürlich nicht wissen, daß ihm als einem der wenigen Schüler Blumenbergs ein wissenschaftlicher Aufstieg beschieden sein würde, der ohne größere Aufregungen und Widerstände gemächlich verlaufen sollte. Baur machte einfach weiter wie bisher, machte sich wenig Feinde und erwarb sich, wo immer er auftrat, Respekt oder zumindest Sympathie. Gottlob ahnte er damals nicht, daß in ihm das Schicksal seiner früh verstorbenen Eltern als rasanter Taktgeber tickte, eine böse Zeituhr, durch die seine vielversprechend anlaufende Karriere ein jähes Ende fand.

Als er sich 1997, ein knappes Jahr nach dem Tod seines Lehrers – inzwischen neununddreißig Jahre alt und glanzvoll habilitiert –, an der ETH Zürich im Fachbereich Philosophie um eine Professorenstelle bewarb und dabei so mitreißend vorsang, daß er als Prachtpferd aus dem Rennen ging, knickte er direkt nach dem Vortrag, der zu weiten Teilen seinem alten Lieblingshelden Samson gegolten hatte, Vortrag, zu dem ihn die ansonsten eher reservierten Schweizer überschwenglich beglückwünschten, noch auf dem Flur der ETH ein, fiel zu Boden und starb wenige Stunden später im Universitätsspital an den Folgen eines Hirnschlags. Baur hinterließ eine Frau, eine Tochter von sechs Jahren, einen anderthalbjährigen Sohn und einen kreuzfidelen, noch nicht ganz stubenreinen Terrier, den er seinen Kindern zu Weihnachten geschenkt hatte.

Jetzt aber Schluß mit den Todesnachrichten. Nun wollen wir den Erzähler dahin zurückscheuchen, woher er gekommen.

Ägypten

Von seinem anstrengenden Sonntagsausflug war er wieder
nach Altenberge zurückgekehrt. Der zerwühlte Sturm-
himmel hatte sich beruhigt, der Regen aufgehört, aber so
viel Wasser war vom Himmel gestürzt, daß die Bäume
schwer von Nässe in der Dunkelheit standen, als schwarze
Massen, von denen es unaufhörlich tropfte und zu deren
Füßen es gluckerte. Auf dem Weg zum Haus hatten sich
große Pfützen gebildet, denen schwer auszuweichen war.
Er schwor sich, dies würde der letzte Ausflug solcher Art
gewesen sein, zog die nassen Schuhe aus, wusch sich die
Hände und schwemmte sich kaltes Wasser ins Gesicht. Er
war nicht in Stimmung für ein Nachtmahl, er war nicht in
Stimmung zu reden. Er wollte trocken werden und sich
wiederfinden.

Der Beruhigung dienlich war ein sandfarbener Kasch-
mirpullover, den er gewöhnlich im Arbeitszimmer trug,
bequem geschnitten wie ein Sporthemd mit Kragen. Er
besaß mehrere davon in unterschiedlichen Farben. Als er,
gewärmt von der vertrauten häuslichen Wolle, im Musikzimmer auf dem Sofa lag, kamen seine Gedanken allmählich in ruhigeres Fahrwasser.

Gottlob umhüllte ihn wieder die Nacht. In seltener
Intensität spürte Blumenberg den Schutz der Nacht. Sie
entdüsterte ihn und entpflichtete ihn von der Gesellig-
keit, ersparte ihm törichte Überraschungen und lockerte

seine geistige Apparatur. Mit feinen besonnenen Fingern hatte er eine Platte aus der Hülle gezogen, sie mit einem Läppchen überwischt und auf das Gerät gelegt. Blumenberg liebte den Moment, da sich der Tonarm senkte und die Nadel sanft auf eine Rille traf. Es knackte. Rasch hatte er zum Sofa gefunden, um schon die ersten Töne im Liegen zu hören. Einer seiner Lieblinge spielte. Arturo Benedetti Michelangeli spielte Schuberts Sonate, als würde er jeden Finger für den Bruchteil einer Sekunde hochstellen, nachdem er die Taste berührt hatte – als Mahnzeichen für den Hörer, doch bitte genau in den Ton hineinzuhorchen, während er schon am Verklingen war; selbst wenn die Musik ins Murmeln geriet, in einen sumpfigen Grund, selbst wenn sie in Kaskaden auf- und abklingelte, wenn sie ihre Perlenkränze wand und ein bißchen herumtändelte, waren die einzelnen Töne noch klar herauszuhören, besonders die hellen, die der Pianist manchmal fast bis an die Schmerzgrenze hochspitzte. Blumenberg hielt die Augen geschlossen. Das Zucken in Benedetti Michelangelis Mönchsgesicht war wieder präsent, das er einmal in einer Aufzeichnung gesehen hatte, auch dessen Äußerung, jeder wirkliche Ton sei noch unendlich weit vom möglichen entfernt, und es tue weh, mit dem Mangel auskommen zu müssen. Diese Art des Spiels war nichts für romantische Schwelger, deren Herzen sich danach sehnten, im Brausesturm davongetragen zu werden; Benedetti Michelangeli spielte für Leute wie ihn, die ihre geheime Lust an der Analyse hatten, am strukturellen Geäst der Musik, an der Präzision ihrer Wiedergabe, Leute, die hinter dem dienenden Genauigkeitseifer des Musikers die feinen Gefühlsvaleurs lieber selbst heraus witterten, als Herzbefehle vom Pianisten zu empfangen und sich von ihnen überrennen zu lassen.

Ob der Löwe wieder im Arbeitszimmer auf dem Teppich lag, kümmerte ihn nicht. Selbst an etwas so Außerordentliches wie einen Löwen gewöhnt man sich, dachte er zufrieden und genoß dabei, wie der Pianist ihn mit seinen scharfen hohen Einsätzen immer wieder aus den Gedankenwogen riß.

Natürlich war das Auftauchen des Löwen ein Wunder. Blumenberg lag es fern, Wunder zu belächeln, sich über sie lustig zu machen; im Gegenteil, die Zeige- und Bestätigungskraft der Wunder, die sich zur Zeit der Abfassung der beiden Testamente ereignet hatten und auch noch in der Zeit des Urchristentums, beeindruckten ihn in ihrer Intensität und Verweiskraft, auch wenn er sich nicht dazu bringen konnte, an sie zu glauben. Aber der Löwe verkörperte das Wunder. Obendrein war sein Vorhandensein in Isenhagen von einer Zeugin bestätigt worden, die über jeden Zweifel erhaben war. Sobald sich auch nur das Ärmchen eines Zweifels regte und der heutigen Begegnung etwas zuleide tun wollte, zeigte sich der Imponierkopf der kleinen Mehliss und sah ihn aus kohlschwarzen Augen an. Verdammt noch mal, was wollte er noch? Glaubte er nun an das Wunder oder nicht? Vor allem: glaubte er an die Beweiskraft des ihm widerfahrenen Wunders, das ihn – Blumenberg, Sohn einer Jüdin, einen katholisch getauften Agnostiker, der in der Zeit der Not, als keine Universität ihn aufnahm, einige Semester am Frankfurter Jesuitenkolleg, das nach Limburg ausgelagert worden war, hatte studieren dürfen und nie aus der Kirche ausgetreten war – mit Macht an die beiden Testamente band, nein: fesselte? Der sein Anliegen, das Gottesbild beider Testamente nicht auseinanderbrechen zu lassen, in immer neuen Anläufen zu Papier brachte?

März 39. Wolfangers Gesicht, von Abscheu verzerrt. Der Direktor des Katharineums, der ihm auf offener Bühne den Handschlag verweigert hatte, ihm, dem besten Schüler von ganz Schleswig-Holstein.

Blumenberg löste sich mit einem Ruck vom Sofa und drehte die Platte um. So wenig er sich von der Macht der Musik überwältigen lassen wollte, so wenig war er bereit, sich der Macht des Wunders zu ergeben. Auch nicht, sich von der Vergangenheit auffressen zu lassen.

Die Überrumpelung durch das Wunder lehnte er ab, mit einer zarten Anmeldung des Wunderbaren hätte er sich vielleicht arrangieren können. Wozu hatte er ein sublimes Geistgehäus um sich herum aufgebaut und sich darin eingesponnen, wozu war ihm ein scharfer Verstand verliehen worden und ein grundlegendes Mißtrauen gegen Erregungszustände, die den Menschen in die Irre führten, wozu besaß er ein überragendes Gedächtnis – alles nur, um wie ein Kind die Hände zu falten und mit glänzenden Augen seinen Löwen anzugucken?

Ihm kam der Freund in den Sinn, dessen Trudeln auf das Ende zu von Verlassenheit zeugte, obwohl er von seiner Frau gewissenhaft umsorgt wurde. Wenn nichts blieb als der Leib und keine Rettung den endlichen Menschen in der hohlen Hand barg, führte der Leib ein schreckliches Theater auf und langte mit Gier nach jedem verbliebenen Lebensfetzen. Wie triumphal, wie anders war es zugegangen, als sie beide im Vollbesitz ihrer Kräfte gewesen waren und die große Reise gewagt hatten, drei strahlende Monate lang, die sie 1956, zusammen mit ihren Frauen, in Ägypten verbracht hatten. Blumenberg sah den großen Mercedes des Freundes an Seilen in der Luft schweben. Von einem Kran gehoben, war er in Antwerpen, dieser vom Krieg schwer heimgesuchten Stadt, auf die *Arethusa* verfrachtet worden. Von da aus war es nach Genua gegangen, dann wurden sie mit Mann und Maus, mit dem nachtblauen Mercedes und einer stattlichen Anzahl Koffer auf ein anderes Frachtschiff verladen und langten schließlich in Alexandria an.

Schon auf der ersten Etappe, auf dem Atlantik entlang der Küsten Frankreichs und Spaniens, war er erleichtert gewesen wie selten zuvor. Er wurde nicht müde, aufs Wasser zu starren, Vögel zu beobachten, die das Schiff begleiteten. Noch nie hatte er sich länger auf dem Meer befunden, obwohl er sich im Wasser immer wohl gefühlt hatte. Als Junge war er ein großer Taucher gewesen, der es viel länger unter Wasser aushielt als seine Kameraden; manchmal glaubten sie schon, er sei ertrunken, bis er als Wasserblitz, nach Luft schnappend, vor ihrem erregten Grüppchen wieder aufschoß und sein Freund Ulrich ausrief: Was, du lebst noch!

Die Einsamkeit des Tauchers wurde glorios, sobald das Wasser ihn deckte und die Geräusche aus der Oberwelt erloschen waren. Jetzt blieb zwar sein Körper trocken, aber er bekam es mit einer ganz anderen Wassermasse zu tun. Er hatte sich eingeschifft, war in eine freie, unberechenbare Zone gelangt, sich allmählich vom Land lösend, die Küstenlinie nur noch ein schmaler Streifen, bis sie sich schließlich ganz entzog, was in ihm ein beschwingtes Mutgefühl erzeugte. Die Geometrie, das Maß der Erde, war verschwunden. Ein schwebendes Lächeln der Intelligenz über dunstigem Graublau.

Ungebeten platzten andere Gedanken dazwischen.

Zerbst. Blumenberg drehte sich auf die linke Seite und versuchte, sich wieder auf die Musik zu konzentrieren.

Das Verschwinden der Erde. Was fehlte, stellte er sich im Takt zu Benedetti Michelangelis Läufen sogleich in umgekehrter Optik und mit umgekehrter Gemütsbindung vor – nicht er, sondern das Land, Küsten und Städte würden leiden, weil er sich von ihnen entfernte; in dem Maße, wie sie vor ihm zurückwichen, würde er ihnen nun abgehen. Ihn amüsierte der Gedanke, wer und was alles litte um ihn, der so vergnügt an der Reling stand und sich am Wasserschaum erfreute, den der Kiel des Schiffes aufwarf.

Einmal, unweit der Küste Spaniens, bei rauhem Seegang, hatte sich ein zerrupfter Albatros auf das Oberdeck verirrt. Er konnte gar nicht anders, als an den *Ancient Mariner* denken, Coleridges gereimte Mär vom erschossenen Albatros, die den Engländern so teuer war. Wie es wohl wäre, den toten Albatros um den Hals gelegt zu bekommen und all seine Kameraden sterben zu sehen? Da flog der Vogel davon, das heißt, er drehte sich um und watschelte zum Erbarmen komisch auf der nassen Holzfläche voran, bevor er sich in die Luft erhob und auf den Wellen wieder niederging, auf denen er mit seinen weiten Schwingen offenbar bequem auf und ab schaukelte. Selbst dieser entkräftete, ältliche Vogel hatte die Macht, die Last der Toten von ihm zu nehmen; er bescherte ihm eine Erleichterung an der Salzluft, die die ganze Reise über vorhielt, bis weit in die heiße Wüste Ägyptens hinein.

Im Gepäck führte er den Josephsroman von Thomas Mann mit, den er in der Vorfreude auf Ägypten zum dritten Mal, nachts in der Kabine beim Hin und Her der Wellen, mit neuen Augen las.

Im Meer war das Gestaltlose zu Hause. Die antiken Philosophen hatten vor dem Meer gewarnt, über das der unbezähmbare Poseidon herrschte, sie hatten gewarnt vor der Verfehlung, wenn sich der Mensch ins Ungemäße und Maßlose hinauswagte, mit Ländern und Völkern in Verbindung geriet, die eine weise Vorsehung getrennt hatte. Auch die Bibel kannte dieses grundlegende Mißtrauen gegenüber dem Meer; nur in ihm glühte kein Fünkchen Skepsis: er liebte das Meer. Und die kleine Schar an Gästen, die sich auf dem Frachtschiff zusammengefunden hatte, außer ihnen bestehend aus einem holländischen Paar, zwei Franzosen, einem englischen Diplomaten und einem deutschen Geschäftsmann, bewirkte in ihm eine Auflockerung, ein selten erlebtes Freiheitsgefühl.

Seine heitere Stimmung hielt während der Zusammenkünfte in der Kapitänsmesse vor. Er aß mit Vergnügen, war herrlich beschwipst, keine Sekunde seekrank und wurde zum begehrten Amüsiertalent für die Gäste, die neugierig geworden waren auf den feurigen jungen Professor, der so klug und witzig daherschwadronierte.

Mit dem Freund verstand er sich ausgezeichnet. Sie sprachen über Musik, über Benedetti Michelangelis Abenteuer als Pilot und Rennfahrer, sprachen über die Zukunft der Technik, über den Enthusiasmus und die Dämonisierung, die ihr entgegengebracht wurden, was den stetigen Gang ihres Fortschreitens wenig hinderte. Sie waren beide Motornarren; mit der Leidenschaft von Kindern, die Autoquartett spielten, konnten sie über die Leistungen von Fahrzeugen fachsimpeln, selbst auf dem Meer, wo der Mercedes keinen Meter weit fuhr, sondern festgezurrt im Bauch des Schiffes ruhte. Der Chauffeur seines Vaters hatte ihm früh beigebracht, wie man einen

Wagen fuhr. Einen Horch 670 Zwölfzylinder. Von diesen jungen Tagen rührte seine Autoleidenschaft her. Jetzt freute er sich darauf, im Wechsel mit dem Freund den Mercedes durch ein unbekanntes Land zu steuern.

Zwar kannte er Venedig und Florenz, nicht aber Genua. Die Stadt war eine Sensation unter blitzblauem Himmel, steil den Berg hinaufkletternd. Unten, vom Hafen aus gesehen, ein Prachtstück, das vor Stolz schier aus den Nähten platzte, emporgebracht von kaufmännischem Handelsgeschick, das zur Grandezza der italienischen Architektur soviel beigetragen hatte.

Der Tonarm hatte sich inzwischen wieder in die Ruheposition zurückgezogen. Blumenberg hatte gar nicht beachtet, daß die Musik verklungen war, so sehr erfüllte ihn die Erinnerung an das ägyptische Abenteuer.

Alexandria. Flach bebaut, mit einzelnen Hochhäusern, die sich noch in der Konstruktion befanden, gleißend hell, eine langgezogene Küstenbesiedelung, ein Gewirr von Menschen, Läden, Restaurants, großen und kleinen Booten, separat davon die Kriegsflotte. Kurz vor Ausbruch der Suezkrise waren sie in Ägypten gelandet, in den Monaten, in denen es im inneren Ägypten bruteiß werden konnte, fünfundvierzig Grad und mehr. Im Land des Gamal Abdel Nasser waren sie angekommen. Mit prominenter Nase und elegant ergrauten Schläfen sah der großgewachsene Offizier aus wie ein Schauspieler. Zwei Jahre erst war der schlaue Fuchs an der Macht. Er haßte die Juden, *Panarabismus* sein Zauberwort, mit dem er sich zum Führer der arabischen Welt aufschwang.

Wiederum an Seilen schwebend, war der Mercedes sacht auf dem Festland abgesetzt worden, und – technisches Präzisionswerk, auf das Verlaß war – er sprang so-

fort an, als der Freund den Zündschlüssel im Schloß drehte
und den schwarzen Bakelitknopf zum Starten drückte.
Der Wagen hatte an den klimatischen Veränderungen
nicht gelitten, die ihm in den letzten beiden Wochen zugemutet worden waren. Nun glänzte er unter der ägypti-
schen Sonne und war bereit, seinen Dienst wiederaufzu-
nehmen.

Kairo übertraf alles, was Blumenberg sich ausgemalt
und durch Reiseführer in Erfahrung hatte bringen können. Sie übernachteten im Mena House, im alten Palast-
hotel inmitten einer riesigen Gartenanlage, mit direktem
Blick auf die Pyramiden. Sein Herz machte Freuden-
sprünge, als er seine Suite betrat. Das waren westöstliche
Zauberzimmer – mit dem englischen Luxus im Bad, den
exquisiten Antiquitäten, dem orientalischen Gitterwerk
vor den Fenstern, wo auf Bänken und Diwanen üppig
bestickte Paradekissen verstreut lagen.

Er langte nach seinem Kissen, das sich unter seinem
Kopf zu einer harten Wurst verformt hatte, und boxte es
sich neu zurecht.

Das Mena House. Englisch war das Frühstück, das hier
serviert wurde. Englisch der Tee, der von Fortnum &
Mason aus London importiert wurde. Englisch gedrillt
waren die Kellner. Orientalisch die Palmen in üppig ver-
zierten Kübeln. Hier hatte er sich endlich wieder in seinem Element gefühlt, als Sohn eines Kunst- und Antiqui-
tätenhändlers, der nach den kargen Nachkriegsjahren
wieder einen Luxus genießen durfte, wie ihn vor Jahrzehnten als Kind umgeben hatte, wenn auch in anderer
Form. Vom Hotel aus gesehen hüllte sich das morgend-
liche Kairo in einen Dunst; die Stadt dünstete rosagraue
Schleier aus, die wie eine Haube auf ihr hockten, und

diese Haube hob sich – wenn überhaupt – erst um die Mittagszeit.

Den Mercedes vom Hotel nach Kairo hineinzulenken war ein Abenteuer. Als die Erinnerungen daran durch seinen Kopf zogen, wurden Blumenbergs Finger sogleich willig, sich wieder ums Steuerrad zu schließen. Wer irgend sich bewegen konnte, was irgend bewegt werden konnte, drängte sich auf den Straßen. Kamelreiter, flinke Topolinos, schwere russische Staatskarossen, Eselkarren, Pferdekarren, Lastwagen mit Auspuffen, die höllische schwarze Wolken ausstießen, Kleinbusse, Schafherden, Lastträger mit vorgeschnallten Bauchläden oder Säcken auf den Schultern. Es war eine Herausforderung, vorsichtig um alles, was sich da bewegte, herumzukurven und dabei den Gegenverkehr im Auge zu behalten, bei dem es ähnlich chaotisch zuging.

Von nahem betrachtet war auch das arme, gewöhnliche Kairo spektakulär. Noch im Hotel gelangten sie in die Obhut eines gebildeten Reiseführers, der exzellent Englisch sprach und ihnen rasch ans Herz wuchs, Hassan, der sie die ganzen Monate über begleitete. Diesen Führer hatte der Freund durch seine geschäftlichen Verbindungen in alle Welt im vorhinein ausgewählt und sich verpflichtet. Hassan war ein blitzgescheiter junger Mann aus wohlhabender Familie. Gekleidet in seine weiße Galabiya, führte er sie mitten ins Gewimmel der Stadt, ein labyrinthisches Gewirr, in dem jeder Fleck ausgenutzt und besetzt war von Handeltreibenden, von Ecken- und Türstehern, die auf einen kleinen Auftrag warteten, von Leuten, die herumsaßen und schwatzten oder ihre Schafe durch die Straßen trieben. Ein Gerber hockte vor einem Bottich und schabte ein Hammelfell glatt. An Budenbesitzern schritten Wüstenkamele im Schaukelgang vorüber. Eines war geschmückt, als ginge es auf seine eigene Hochzeit, mit Troddeln und Behängen; sogar blitzende Goldstücke waren in die Stirnriemen geflochten. Französische Stadthäuser, die einen Pariser Boulevard hätten säumen können, wechselten mit orientalischen Gebäuden und ihren weit die Straßen überwölbenden Gittervorsprüngen ab. Dazwischen Neubauten im mediterranen Bauhausstil und Hütten, die schier zusammenfielen. Die Bars und Cafés waren erregend. Vollgepackt mit diskutierenden jungen Männern und älteren Wasserpfeifenrauchern, dazwischen stark geschminkte Frauen in engen, westlichen Kostümen.

Ihre eigenen Frauen hatten sich für die Ägyptenfahrt eine Wüstengarderobe schneidern lassen, bunte Kleider, die sie in Deutschland niemals getragen hätten, auch bequeme Shorts, die knapp über den Knien endigten, und Blusen aus hauchdünner Baumwolle. Auf ihren Köpfen saßen Hüte mit extrabreiter Krempe, die sie vor der Sonne schützten. Seine Kleidung war konventioneller. Während der Stadtgänge trug er einen leichten, hellen Leinenanzug und einen eleganten Strohhut auf dem Kopf.

An den Schwatzzwang der Ägypter mußte er sich gewöhnen. Wo sie gingen und standen, produzierten sie Aufläufe, nur um laut zu schwatzen und mit den Händen zu wedeln. Anfangs wurde ihm das zuviel. Auch das aufdringliche Bakschisch! Bakschisch! besonders der Kinder ging ihm auf die Nerven. Das Jackenzupfen, Händehinstrecken. Er war bestrebt, sich die Leute vom Leib zu halten. Der Hang zu Kitsch und Opulenz, die schweren Parfümfahnen, die besonders die Frauen aus den höheren Klassen hinter sich herschleppten, machten ihm zu schaffen.

Dann hatte es gefunkt. Ihre quicklebendige Art hatte seinen Widerstand überrannt. Mit einem Mal genoß er es, sie zu beobachten. Und manchmal wurden die Nachwirkungen des Josephromans übergroß, etwa wenn er auf der Lauer lag, in der Empfangsdame des Hotels, in der einen oder anderen Gattin an der Seite eines wohlhabenden Staatsbeamten Potiphars Weib zu entdecken. Selbst auf dem Sofa wirkte das Vergnügen nach, so daß er sich wieder auf die rechte Seite warf. Die Ägypter waren als Schauspieler zur Welt gekommen. Ein üppiges Gestentheater führten sie voreinander auf mit hoch nach oben und wieder abwärts segelnden Stimmen. Ihre großäugigen Nasengesichter verströmten Gutmütigkeit; ihre Gesten, die oft die Handflächen wie in Spendierlaune frei darboten, erweckten Sympathie.

Dank Hassan, der schnell begriff, daß er nicht die üblichen Reisenden vor sich hatte, die sich nur für Pyramiden und Pharaonengräber interessierten, landeten sie im Kino, in einem Film von Youssef Chahine, und anschließend in einem griechischen Club, wo heiß über die Vorführung diskutiert wurde. Ein Schwarzweißfilm im Stil des italienischen Neorealismus, mit vielen Laiendarstellern, die allesamt begnadete Komödianten waren. Der Film war eine kleine Offenbarung und konnte sich locker mit den besten Filmen messen, die er je gesehen hatte. Natürlich entging ihm viel von der Handlung. Er wußte nur noch: es begann im Bahnhof, und ein schalkhafter, weltweiser Kioskbesitzer geriet augenblicks in erzkomische Verwicklungen.

Hassan führte sie durch labyrinthische Hinterhöfe zu einem alten hölzernen Derwischtheater, einem kleinen Rundbau mit Lukarnen, innen mit fein geschnitzten Git-

tern versehen, um die Frauen von den Männern abzu-
schirmen. Davor saß ein alter Wächter inmitten einer
Schar Katzen und erzählte ihnen Katzengeschichten, von
denen Hassan Bruchstücke übersetzte, wobei der Alte
auf jedes einzelne Tier deutete und nachahmte, wie es
miaute, fauchte oder sich würdevoll trollte. Wie überraschte ihn der Freund, der sich ohne Scheu neben dem
Wächter auf der Steinstufe niederließ und stochernd
einige arabische Sätze an ihm ausprobierte, die der Alte
lachend, mit weit aufgerissenem Mund, in dem nur noch
wenige Einzelzähne staken, quittierte.

Matterhorn: der Name genügte zwischen ihnen als
Witz. Wurde es vor den Pyramiden so heiß, daß jede Bewegung zur Strapaze wurde und sie am liebsten in Bade-
wannen mit kaltem Wasser gesunken wären, hielten sie
sich mit Matterhorn-Witzen bei Laune. In der prallen
Sonne stellten sie sich in Positur wie zu einem Gruppen-
photo auf dem Schneegipfel, schlugen mit den Armen
um sich, als bedürften sie der Wärme, beschirmten ihre
Augen mit den Händen und schauten in die Gegend,
gerade so, als wären sie von hohen Bergen umringt und es
wehte ein eiskalter Wind.

Der Nil, immer wieder der Nil. Zu Recht besungen und
beschworen. Bei der Nilfahrt auf einem alten Raddampfer
wartete jeden Abend eine Überraschung in ihrer Kabine.
Der Steward, der sie betreute, legte Pyjama und Nacht-
hemd mit geschickten Kniffen so zurecht, daß sie auf ihren
Betten von tierähnlichen Gebilden empfangen wurden –
einem Schwan, einer Schlange, einem Krokodil. Der Steward nahm ihr Lob in einer Mischung aus Verlegenheit
und Stolz entgegen, wobei er, angestachelt durch ihren
Zuspruch, sich an immer kompliziertere Formen wagte.

Man sah vom Schiff aus, wie dünn der schmale grüne Streifen entlang des Flußlaufs war, wo sich alles Leben und die gesamte Landwirtschaft zusammendrängten. Wasserbüffel standen in den Feldern. Ibisse stelzten herum. Gut vorstellbar, daß in Ufernähe Krokodile lauerten. Hinter den Hügeln begannen bereits die Sanddünen, eine weite Wüstenlandschaft, spärlich bevölkert allenfalls von durchziehenden Nomaden. Immer wieder war ihr Schiff von Nußschalen umringt, in denen sich Kinder tummelten, die kreischten und ins Wasser sprangen und den Passagieren zuwinkten wie verrückt.

Wie viele Monumente sie besichtigt hatten! Fünfzig? Hundert? Er brachte sie gar nicht mehr alle zusammen. Natürlich waren sie im Tal der Könige gewesen und in die bunt bemalten Grüfte hinabgestiegen, natürlich hatten sie die Tempel von Theben und Karnak besichtigt, und weit im Süden Abu Simbel, den Felsenpalast, der damals an seinem angestammten Platz stand und noch nicht des neuen Staudamms wegen versetzt worden war, auch die Tempel auf der Insel Elephantine und viele andere mehr. Ihm waren die Kolossalstatuen an den Eingängen unheimlich erschienen, zu abweisend, zu groß, zu glatt. Doch in ihrer Gesamtheit waren sie erhaben, eine Totentrotzkultur im Wüstenstaub, mit majestätischen Hauben und Bärten. Die mit den heutigen Ägyptern, wie sie in Kairo durcheinanderwuselten, schwer in Verbindung zu bringen war. Das vergangene Ägypten blickte unbeteiligt auf das gegenwärtige herab. Seine Anstrengungen, dem Absolutismus der Wirklichkeit zu entkommen, waren immens gewesen, mit nichts zu vergleichen. Wertsteigerung des Zieles, dem Tod das Leben abzutrotzen, durch enorme Erschwernis seines baulichen Vollzuges. Von den heutigen Landesbewohnern und den auswärtigen Besuchern konnten solche Kraftakte zur Daseinssteigerung nicht mehr erfaßt werden. In Bröckchen schwebten einige Zeilen von Edna St. Vincent Millay heran – *The kings of Egypt; even as long ago – with long eye and scented limbs they slept, and feared no foe – Their will was law; their will was not to die: And so they had their way; or nearly so.*

Er liebte dieses *or nearly so*. Für immer, aber eben doch nur beinahe. Perfekt, beinahe perfekt waren die Totenbarken mit den darübergebreiteten Schwingen. Sie hatten sich ihm eingeprägt wie kaum etwas sonst. Einzigartig, mit Hilfe einer Barke ins Reich der Toten zu gelangen, ein Narrativ von hoher Bildlichkeit und ein plausibles Wunschgebilde obendrein. Poesie und Schrecken schwebten über dem Tod; das Geleit der Barken milderte den Schrecken zu sanfter Bedeutsamkeit.

Und dennoch. Nicht nur einmal hatte ihn der Gedanke überfallen, daß es ein Fehler gewesen war, nach Ägypten zu fahren, in diese graurötliche Ödnis, die sich bis zum Horizont erstreckte. Er hätte in Brügge umkehren sollen. Letztlich war er doch ein Stubenhocker, der sich lieber die Welt in seine Klause holte und in leuchtenden Gedankenbildern vergegenwärtigte, als sich dem Treiben auszusetzen und sich ratlos in ihm zu verlieren, sei, was er zu sehen bekam, auf den ersten Blick auch noch so aufregend. Auf die Dauer machte es ihm zu schaffen, immer in Gesellschaft zu sein und kaum eine Stunde allein, in abgeschirmter Umgebung, für sich nutzen zu können.

Frivol waren die schreibenden Affen an den Wänden der Grabkammern, die wie Steuereinnehmer auf ihren Hintern saßen, eine willkommene Abwechslung vom durchherrschenden Ernst der Alten Reiche. An tausenderlei ernsten Figuren mit seitwärts gestellten Beinen war er vorbeigewandert, sie zeigten ihre Gerätschaften her oder saßen statuarisch mit hoch aufragenden Kopfbedekkungen da und nahmen etwas in Empfang, die Arme meist leicht erhoben im Zeigegestus. Im Innersten blieben ihm diese Figuren fremd. Nur die Portraitbüsten Echnatons im Museum von Kairo, die so auffallend anders waren, hatten ihn magisch angezogen. Der extrem gedehnte Schädel, die langgezogene Nase, der elegant gewellte Mund des sonderbaren Königs schwebten ihm vor Augen. Das Riesenmuseum war kurios, eine Mischung aus Pomp und Besenkammer. Skarabäenhaufen. Amuletthalden. Öffnete man irgendwo eine Tür, stürzten einem bandagierte Mumien entgegen. Und über all dem Gewimmel und dem ruinösen Chaos immer wieder der sonderbar lächelnde König. Sein melancholisches Flair trug ihn weit und immer weiter fort.

Und während er sich in seinem Sofa verlor, saß er wieder auf der Terrasse des Katarakt-Hotels in Assuan und sah auf den Nil, sah auf den rotgoldenen Himmel, der alles flammend übergoß, während das gegenüberliegende Ufer schwarz erschien, doch allmählich färbte sich der Himmel anders ein, wie zum Ende ihrer Reise, als sich zur Unzeit der Chamsin erhob, Wüstensand in die Atmosphäre schleudernd; hoch droben kreiselte er zunächst in braungelben Schlieren, ein knochentrockener, böser, kristallscharfer Wind, der gottlob nicht im Freien über sie kam – sie waren in Sicherheit und konnten zusehen, wie er niederging und Sandkörner gegen die Scheiben des Katarakt-Hotels fegte, die sich auf den Fensterbänken als Haufen und im Garten als kleine Dünen ablagerten, und zu viert standen sie am Fenster und sahen in diesen irrsinnigen Himmel, von dem sich lauter rieselnde gelbe Körner lösten, die ihn allmählich in den Schlaf strudelten – sie bedeckten Ägypten, sie bedeckten Altenberge, sie bedeckten ihn, und nur der Kopf der Sphinx mit der abgeschlagenen Nase ragte noch daraus hervor, doch als die Sphinx zu sprechen anfing mit ihrer hohltönenden, fast dreitausendjährigen Stimme, war er schon halb in den Schlaf geglitten und beschäftigte sich mit den Pythagoreern, die sich gegen ein orientalisch influiertes Verfließen des rationalen Tonsystems verwahrt hatten und der *Hyle*, der Geräuschmaterie, die zwischen den durch ganzzahlige Proportionen der Saitenlängen bestimmten Tönen lag, keine Bedeutung zumaßen, während es in der Moderne gerade darauf ankam, das Zwischenreich der nicht durch Zahlen definierbaren Töne zu erforschen und zu erlauschen, doch als sich in die Hyle die Zwingworte der Sphinx mengten, war er eingeschlafen und konnte sich tags darauf an nichts mehr erinnern.

Fragwürdiger Engelbescheid

Vollbremsung. Tohuwabohu, ein Wunder, daß nicht gleich mehrere Fahrzeuge ineinanderkrachten. Polizei und Notdienst waren rasch zur Stelle. Was die Sanitäter an blutigen Kleidungsresten, Fleisch, zermalmten Knochen vom Asphalt kratzten, war nicht mehr als Person zu erkennen. Der Lastwagen der Firma Zapf war mit mehreren Rädern darüber gerollt, hatte Teile mitgeschleppt, bis er hinter der Brücke zum Stehen gekommen war. Der Familie, falls es eine gab, würde der Anblick dieser Reste nicht zuzumuten sein. Dennoch ließ sich die Person, um die es sich wahrscheinlich handelte, identifizieren.

Polizisten fanden ein weißes Täschchen im Korb des auf der Brücke abgestellten Fahrrades, per Reißverschluß zu öffnen, mit hundertundsechs Mark und vierzig Pfennigen darin, einem Lippenstift, Krimskrams, einem Tampon, keinem Schlüssel, aber einem Personalausweis mit der Nummer 255431800, gültig bis 18.3.1984, ausgestellt auf den Namen Elisabeth Kurz, wohnhaft 7100 Heilbronn, Am Schafberg.

Fahrer und Beifahrer des Lastwagens saßen im VW-Bus der Polizei, eine Beamtin und ihr Kollege ihnen gegenüber. Alle waren naß, im Wagen herrschte eine feuchtklamme Atmosphäre. Der Regen trommelte noch immer aufs Dach.

Weiß wie ein Engel, murmelte der Fahrer vor sich hin.

Er schwitzte stark, hielt die Hände gefaltet, sie fuhren ihm auseinander, er wischte sich über die Stirn, faltete sie wieder. Er war zu keiner zusammenhängenden Aussage fähig. Ein drahtiger Bursche mit Zopf, den so leicht nichts erschüttern konnte. Jetzt zitterte ihm das rechte Bein. Ohne Vorwarnung, von oben, nicht einfach auf der Straße. Von oben, sagte er immer wieder und wiegte dabei den schweißüberglänzten Kopf hin und her. Was Weißes.

Seine Augen huschten von einem zum andern. Auf die Motorhaube, zuerst auf die Haube? fragte er ratlos in die Runde.

Nein, direkt vor die Räder, nich' auf die Haube. Sonst wär' sie ja weggeschleudert worden. Sein Kollege Harry, eine Wollmütze tief in die Stirn gezogen, unter der blonde Locken hervorquollen, saß eher ruhig da und starrte auf den Tisch. Er mahlte mit dem Kiefer und war bemüht, ja nichts zu sagen, was falsch hätte ausgelegt werden können.

Dann rechts unten, der Rumpser, rrrumps, voll in die Bremse reingetreten, rrrumps, rrrumps, rrumps –

Volle Kanne reingetreten, das könne er bezeugen –

Was, sie sollten ihm doch bitte sagen was, was hätte er denn tun sollen? Von oben kam's, damit rechnet doch kein Mensch.

Kein Mensch nich' rechnet mit so was.

Sie glauben mir nicht? rief der Fahrer verzweifelt.

Doch, sie glaubten ihm, nichts sprach dafür, daß er log, aber er konnte nicht glauben, daß sie ihm aufs Wort glaubten, es war ja alles so unwahrscheinlich. Von oben!

Dann Krach hinten im Wagen, so'n Gepolter. Ladung verrutscht, so stockvoll is' mein Kollege auf die Bremse getreten. Is' keinen Millimeter ausgeschert. Hätt' auch gar nicht ausweichen können, war ja voll auf der anderen Spur. Hat eins A gehalten. Müssen mal schauen, was die Ladung macht.

Die Beamtin hielt inne. Der Kugelschreiber, mit dem sie die Vernehmung protokolliert hatte, gab den Geist auf. Harry griff in seine Brusttasche und reichte ihr einen anderen, einen gelben, mit hellblau aufgedrucktem Firmenlogo der Firma Zapf. Der schrieb zunächst auch nicht, mußte angehaucht werden, was Harry fachmännisch übernahm, indem er noch ein Zettelchen aus der Tasche grub und darauf probeweise herumkritzelte.

Nein, sie waren weder betrunken noch übermüdet, ihre Tour hatte ja gerade erst begonnen. Und der Fahrer hatte keinen einzigen Eintrag in Flensburg, war noch nie in einen Unfall verwickelt gewesen. In Lüdenscheid hatten sie den Laster übernommen, fertig beladen mit Möbeln und Bücherkisten eines Lehrerehepaars, die hießen Blessing, Be El E Es Es I En Ge, das war leicht zu überprüfen. Das Paar war in Rente gegangen und zog an den Dollart, und nun wollten sie in Münster Halt machen und noch was dazu packen.

In dem Zustand können Sie nicht weiterfahren, da legen Sie mal besser eine Pause ein, sagte der Beamte. Wir kümmern uns darum, daß der Laster von der Straße kommt und Sie in Münster übernachten.

Ich kann übernehmen. Bin total ruhig. Da zittert nix. Harry konnte seinen Ärger nicht länger unterdrücken. Jetzt steckten sie schon zwei gottverdammte Rattenstunden fest. Was müssen diese Arschlöcher sich umbringen und anderen den Tag damit versauen! Ihn traf ein Blick des Polizisten, und er gab klein bei: Hab's nich' so gemeint.

Wer ist das denn überhaupt gewesen? wollte der Fahrer wissen, aber dazu konnten die Polizisten keine Auskunft geben, die Identifizierung war noch nicht gesichert. Eine junge Frau, mehr konnten sie nicht sagen.

Als Biggi abends in die Wohnung zurückkehrte, stand die Tür halb offen. Niemand da. Auch vom Kater keine Spur. Sie dachte erst an einen Einbruch, fand aber in der Wohnung alles an seinem Platz. Dann fürchtete sie etwas Schlimmes, was sich eine Stunde später bestätigte, als die Polizei bei ihr anrief. Der Kater sollte für immer verschwunden bleiben.

Gerhard war den Nachmittag über planlos herumgewandert und hatte sich schließlich zu einem Zoobesuch entschlossen. Im Allwetterzoo dösten die Tiere vor sich hin, auch die Raubkatzen schienen an der Sonne zu schlafen, nichts in Sicht zum Jagen und Zerfetzen. Ein Tiger hob den Kopf und gähnte. Die Büffel rührten sich nicht, verschoben kaum den Unterkiefer, um zu kauen; Flamingos standen dekorativ auf der Wiese, flaumig wie die Mohairpullover, die Elke Sommer immer in den Talkshows trug. Nur die hypernervösen Wölfe rannten auf und ab und sorgten für ein bißchen Radau, indem sie die Köpfe nach hinten legten und losheulten, während im Gehege gegenüber ein junger Elefant die Kinder entzückte, der seinen Rüssel suchend, tastend über die Absperrung steckte. Gerhard kam ein Blumenbergwort in den Sinn, vom Elefanten, der sich keine Träume leisten konnte, weil er aufgrund seiner Masse und seines Vegetarismus zu ganztätiger Selbstfütterung verurteilt war. Jetzt entwickelte er schon denselben Tick wie Isa! Blumenbergiaden, wo er ging und stand. Kein Wunder, die Vorlesung war hinreißend gewesen, sie hatte gut zehn Minuten oder mehr von einer möglichen Rüsselkultur des Elefanten gehandelt. Spontanapplaus, herzliches Gelächter. Der Professor war offenkundig ein Elefantenverehrer, er schien große Sympathie für den *verhinderten Kulturgenossen des Menschen* zu empfinden, ganz wie die Kinder, die mit ihren Ärmchen versuchten, an den Rüssel heranzukommen, eine tief eingewurzelte Sympathie, die wahrscheinlich die allermeisten Menschen auf der Welt für den Elefanten hegten.

Ein Marabu fesselte seine Aufmerksamkeit. Ein potthäßlicher Vogel, groß, mit einem Schnabel aus rostfarbenem Urgestein, den er vor die Brust gedrückt hielt, Kopf eingezogen, kahler dreckrosa Hals, ein scheußlicher Kehlsack, unappetitliche Härchen auf dem Kopf, aber sehr, sehr würdevoll als Gesamterscheinung. Wahrlich, ein Sekretär aus alten Zeiten, bewandert in der Kunst der Schönschrift, der Zurückhaltung und der Intrige, unter der Hemdbrust Schweißmief und Parfümmief von aberhundert Jahren. Gerhard hätte zu gern gehört, was für Laute der Marabu von sich gab; durch Gekecker und ein ziemlich albernes Ziwitsch versuchte er, ihm eine Antwort zu entlocken. Vergebens. Der Marabu blieb stumm, schlimmer, er wandte sich ab, gekränkt, und stolzierte von dannen.

Ihm waren zu viele Mütter mit Kindern unterwegs. Er wollte schon gehen, da zwang ihn der Platzregen, sich bei den Krokodilen unterzustellen. Die lagen regungslos herum, Augen und Nasenlöcher knapp über der Wasseroberfläche.

Als er ziemlich durchnäßt im Mauritztor eintraf, wartete Richard bereits auf ihn, fast eine Stunde zu früh. Er stand extra auf und faßte ihn zur Begrüßung an der Schulter. Merkwürdig, Richard war für gewöhnlich viel zu verdrossen für so eine Aktion, mit Begrüßungen trieb er keinerlei Aufwand.

Das Mauritztor war gerammelt voll. Der Laden wurde selten von Studenten frequentiert. Zu teuer. Sie hockten am Katzentisch. Schräg gegenüber, an der Fensterseite, saßen Dietmar Schönherr und Vivi Bach inmitten einer größeren Runde, Gerhard hatte die beiden direkt im Blick. Dietmar Schönherr war ihm sympathisch. Seine Mutter war in ihn verliebt gewesen. Als Kind hatte er ihn im Fernsehen gesehen, in einer Inszenierung des *Guten Menschen von Sezuan*. Aber als was bloß? Als einer der drei Götter? Als Shen Te oder als Shui Ta? Der Film hatte ihn wochenlang beschäftigt – wie war es möglich, gut zu bleiben in einer bösen Welt, der ganze marxistische Kram, beaufsichtigt von Göttern. Wenn Götter irgendwo auftauchten, konnte er gar nicht anders als hinschauen. Dietmar Schönherr hatte ihn schwer beeindruckt. Im Schlafanzug war er ins Wohnzimmer getapst. Dietmar Schönherr zu Ehren saß die Mutter in ihrem Seidenkleid auf dem Sofa, auf dem Tischchen neben ihr eine Flasche Eierlikör. Sie scheuchte ihn nicht weg, sondern bettete seinen Kopf auf ein Kissen, hüllte ihn in eine Decke, nahm seine Füße auf ihren Schoß, und gemeinsam sahen sie Dietmar Schönherr zu.

Weißt du es schon?

Gerhard wußte von nichts.

Richard winkte die Kellnerin herbei und bestellte ihm ein Bier. Auch das war höchst sonderbar, aber Gerhard ließ es fraglos geschehen.

Noch bevor das Bier kam, erzählte Richard. Er wußte ziemlich genau Bescheid, wo und wie und wann. Über Rena hatte sich die Nachricht schnell verbreitet.

Der Wasserverkäufer. Es gab doch einen Wasserverkäufer in dem Stück. Aber wozu war der da?

Nervös zwirbelte Richard einen Bierdeckel zwischen den Fingern. Gerhard blieb ruhig wie das Krokodil unter der Sumpfoberfläche. Seine Wangen zuckten nicht, das Herz machte keine Rösselsprünge. Als Richard eine Pause einlegte, sagte er bloß: Endlich ist Ruh'.

Mehr sagte er nicht, sondern supfte sorgsam das Schaumkäppchen von seinem Bier.

Richard wunderte sich. Er hatte Isa nie leiden können. Die Frau war ein Verhängnis, verwöhnt, hochgestochen, durchgedreht, ein dürftiges Miststück. Er wußte, wie sehr Gerhard an ihr hing, wie er sich zum Narren machte, um sich in ihrer Nähe zu halten, gutmütiger Trottel, der er war. Richard hatte immer wieder gegen Isa gestänkert, um seinen Freund von ihr loszueisen, war damit aber nicht weit gekommen und hatte schließlich aufgegeben. Seine Probleme mit Frauen waren ganz anderer Natur; die Frauen liefen ihm nach, und da waren ungleich anziehendere Exemplare darunter als Isa, aber ihm fiel es schwer, sich zu entscheiden.

Wang, hieß der Wasserverkäufer Wang? Drüben hob Schönherr das Glas und schickte einen Gruß in die Runde. Vivi Bach lehnte den hochblonden Kopf an seine Schulter. Jawohl, Wang. Und Schönherr hatte wahrscheinlich einen Gott gespielt; so eine wendige chinesische Flitzmaus hätte nicht zu ihm gepaßt.

Richard sah seinem Freund immer wieder in die Augen, um zu überprüfen, wie er es aufnahm. Daß sich Isa auf so übertriebene Weise umgebracht hatte, paßte zu ihr. Vielleicht. Vielleicht auch nicht. Daß sie sich hatte plattwalzen lassen, hatte ihn denn doch überrascht. In Richard rührte sich kein Mitleid; was ihn am meisten wunderte, war, daß sich in Gerhard offensichtlich auch keins rührte, nicht ein Funke, zumindest war ihm davon nichts anzumerken.

Richard hielt es für besser, unerwähnt zu lassen, daß er mit Isa einmal eine Nacht verbracht hatte. Eine anstrengende. Als er zu seiner berühmten Schmuckrede angehoben hatte, ein rauziges Verführungsblabla à la Dylan, mit gut kalkulierten Pausen, das er immer in Anschlag brachte, wenn er eine Frau aufriß, hatte sie ihn unterbrochen. Zack, Schnitt. Nichts mehr davon, wie er mit vierzehn Malcolm Lowrys *Unter dem Vulkan* zwischen die Finger bekam und das Paderborner Postbeamtensohnleben ein anderes wurde. Fhhhhhh. Seine alkoholische Flackerexistenz wurde ausgepustet und erlosch lautlos in ihm. Statt ihm zuzuhören und seine Verderbtheit zu bewundern, löcherte sie ihn mit ihrem Blumenbergstuß und setzte, um das Maß vollzumachen, gleich noch einen anderen Stuß obendrauf – Lacan! Sie wollte zu Lacan nach Paris, um dort bei ihm, und nur bei ihm, eine Analyse zu machen. Lacan war der einzige, der sich auf ihre Art von Verrücktheit verstand und sie von Blumenberg befreien konnte. Ihren Vater hatte sie schon überredet, ihr ein Appartement in Paris zu besorgen. Richard hatte ihr süffisant beigepflichtet: In Münster gebe es garantiert niemanden, der es mit ihrem Objekt klein a aufnehmen könne. Das war vor einem Jahr gewesen. Kurz darauf war Lacan gestorben.

Gerhard schien nicht versessen darauf, mit den unappetitlichen Details der Chose genauer bekannt zu werden. Tatsache, er lachte, als Richard die Firma Zapf erwähnte. Die Zapfisten waren tapfere Kerle, landauf, landab beliebt bei den Studenten, und jetzt hatte der Teufel es gewollt, daß die gute Isa, das Knopfmädel aus Heilbronn, von ihnen erledigt worden war.

Der Abend zog sich hin. Richard trank viel, Wodka und Bier, ihm war es längst zur Gewohnheit geworden, nachts mit Alkohol in die Zielgerade einzubiegen. Gerhard war ein bescheidener Trinker, aber heute langte er für seine Verhältnisse ziemlich zu. Der Höhepunkt kam, als Hansi Bitzer, das Gedichtmonster, den Laden betrat. Richard konnte ihn nicht riechen und verschanzte sich grantig hinter seinem Bier. Hansi steuerte auf ihren Tisch zu und baute sich vor Gerhard auf; Richard hätte ihn am liebsten erwürgt. Aus dem Lautsprecher tönte *In The Air Tonight* von Phil Collins, was Hansi aber nicht davon abhielt, sein verfluchtes Blatt auszupacken, eins dieser in durchsichtiges Plastik gehüllten Wichsblätter, das er aus seiner Akkordeonmappe zog, um mitten in das ätherische Halligalli von Collins und das allgemeine Schwatzgelärme hinein loszulegen, Gerhard direkt in die Ohren, nur für ihn loszukrächzen, loszuschnarren, und zwar mit –

> Wohlan! so bin ich deiner los
> Du freches, lüderliches Weib!
> Fluch über deinen sündenvollen Schoß,
> Fluch über deinen feilen geilen Leib,
> Fluch über deine lüderlichen Brüste
> Von Zucht und Wahrheit leer,
> Von Schand und Lügen schwer,
> Ein schmutzig Kissen aller eklen Lüste …

Jesusmariaundjosef! Das ging endlos so weiter, endlos, endlos. Eine Strafpredigt? Auf den armen Gerhard gemünzt, um ihn durch Zorn und Verachtung über seinen Verlust hinwegzutrösten? Gerhard hörte jedenfalls aufmerksam zu, kein Muskel in seinem Gesicht verriet, was er dachte. Nachdem Hansi geendigt hatte, langte er etwas zeremoniell nach seiner Brieftasche, holte einen glatten Zehner heraus, faltete ihn zweimal und legte ihn in Hansis Blechnapf. Hansi ließ es bei einer knappen Verbeugung bewenden, drehte sich um und ging, ohne einen Blick an Dietmar Schönherr zu verschwenden, hinaus.

Was erlaubt der sich eigentlich?

Richard sah sich in der Pflicht, seinen Freund im nachhinein zu beschützen, aber da kannte er seinen Gerhard, den lieben, guten alten Gerhard, schlecht: *Schneidst du den Hals dir ab, Und springst du in die Spree, Du findest nie ein Grab, Die Spreu schwimmt in der Höh*, zitierte der fröhlich glucksend, das hat doch Klasse, das ist die ganz, ganz große, die übergroße Gewichtsklasse, Schwergewichtgedichtklasse – er kam ins Kichern und verschluckte etwas vom Bier –, so was traut sich doch heute keiner mehr von unseren saftlosen kreuzbraven Dichtersäcken. Rühmkorf etwa? Häh? Gernhardt?!

Richard mußte grinsen, aber er blieb besorgt und beschloß, seinen Freund während der Nacht nicht aus den Augen zu lassen. Der Grund, weshalb er sich mit ihm verabredet hatte, kam gar nicht zur Sprache. Richard wollte zwei Semester sausen lassen und auf große Fahrt gehen, nach Südamerika.

Heilbronn

Die Eltern erfuhren es von einem Heilbronner Beamten, der noch am selben Abend vor ihrer Haustür stand. Sie wollten es nicht glauben, wollten Beweise, riefen verzweifelt in der Wohnung ihrer Tochter an, bekamen aber nur die schluchzende Biggi an den Apparat, versteinten.

Lange konnten sie sich nicht aus der Erstarrung lösen. Außen kalt. Innen heiß. In ihren Köpfen raste es. Immer wieder tauchte darin der süße Fratz auf, das Spatzl. Sie hatten schon mit viel Bösem gerechnet, damit nicht. Wie? Ihre Kleine, der sie doch alles gegeben hatten, was Eltern einem Kind geben konnten, machte so was? Hatte sie das getan, um die Eltern zu vernichten? Aber was für eine Schuld hatten sie auf sich geladen, daß sie eine so fürchterliche Quittung verdient hatten? War Elisabeth im Drogenrausch gewesen? Das war doch nicht ihr Kind, wie sie es kannten. Vielleicht waren sie zu wenig streng mit dem Kind gewesen, die beiden Buben hatten sie strenger gehalten, aber deswegen brachte man sich doch nicht um, noch dazu auf eine so fürchterliche Weise, an die zu denken sie sich weigerten, ausgerechnet ihre Jüngste, so ein lustiger, kluger Wildfang, dem alles leichtfiel, der Kindergarten, die Schule, sogar die Tanzstunde, und das war ja weißgott für jeden jungen Menschen ein Krampf, und die Universität doch erst recht. Selbst in der Pubertät hatte ihr Spatzl niedlich ausgesehen, nicht pikkelübersät wie die beiden anderen Kinder. Und sie durfte alles machen, was sie wollte, sie hatten ihr niemals dreingeredet, welches Fach sie studieren sollte. Philosophie, das klang interessant, wenn sie auch nicht recht wußten, wozu so ein Studium gut sein sollte, wenn Elisabeth es so wollte, in Ordnung, dann sollte sie ihren Willen haben. Wo kam das bloß her? Ihre Ehe war doch nicht schlecht, sie hatten die Kinder nie mit Problemen belästigt, die sie selber hatten. Kam das von Onkel Willi? Aber Willi war im Krieg gewesen und hatte sich danach nicht mehr zurechtgefunden, das war doch ein Kriegsschaden. Woher also, woher?

Die Beerdigung fand zehn Tage später auf dem Heilbronner Hauptfriedhof statt. Der evangelische Pfarrer machte seine Sache gut, obwohl da nichts gutzumachen war. Man merkte seiner Stimme an, daß er selbst ratlos war. Er hatte Elisabeth im Konfirmandenunterricht gehabt und erinnerte sich genau an das Mädchen; schlau war sie gewesen, unberechenbar, lebhaft, dabei ziemlich ernst für so ein junges Ding. Konnte ungemütliche Fragen stellen, die direkt ins dornige Dickicht der theologischen Logik zielten. Dem Pfarrer blieb nichts anderes übrig, als ihren Tod als Rätsel stehenzulassen und keinen allzu salbenden Nachdruck auf seine Verse voll Barmherzigkeit zu legen. Kaum möglich, den Eltern etwas von ihrer Last zu nehmen. Steif wie zwei Kerzen, eine lange, eine kurze, saßen sie in der ersten Reihe.

Gerhard hatte sich dem Trauerzug hinten angeschlossen. Den braunen Sarg, der von den schwarzuniformierten Trägern etwas schief gehalten wurde, die mitgeschleppten Kränze – was er sah, konnte er nicht mit Isa in Verbindung bringen. Wie wenig das, was da drin liegen mochte, Isa glich. Sie war definitiv nicht in den freundbesiedelten Schlaf geglitten. Kurzen Prozeß hatte sie gemacht, Puppe kaputt. Doppelt und dreifach.

Es war nicht so, als wäre die Liebe seines Lebens dahingegangen und er müßte nun in Trauer vergehen. Isa war ihm auf einen Schlag fremd geworden, abschreckend fremd. Er war gefoppt worden von einem grausamen Geist, der sich als junges Mädchen verkleidet hatte. Er fühlte einen schrecklichen Durst. Es überfiel ihn ein Husten, der ihm das Wasser aus den Augen trieb. Runzliges Äffchengesicht, vom Jackenärmel trockengewischt, zerfurcht die glatten Wangen, die glatte Stirn. Isa oder das, was von ihr noch da war, sah ihm dabei zu. Isas Meerwasseraugen schauten das Äffchen mitleidig an. Eine düstere Verzückung breitete sich in ihm aus. Er fuhr mit der Hand über einen Buchsbaum und kniff ein Blatt ab. Emsige Spatzen darunter, pick, pick, pick. Zwei dicke mit Kinderflaum vor der Brust. Seelchen, die schneller sterben, als sie schlüpfen. Isas Patschhände kamen ihm in den Sinn – stets bereit, sich zurückzuziehen. Doch, sie war's, die Liebe seines Lebens, Springsteens *Suicide Machine*. Sie saß ihm in den Knochen. Bereitwilliges Kußgeflatter in seinem Kopf, ein Lechzen ohne Sinn und Zweck. Er wünschte sich in das verfluchte Eisenbett zurück. Aber vielleicht war es besser, wenn eine derart herrschsüchtige Liebe rabiat aus den Knochen vertrieben wurde. Man sollte gut, gewissenhaft, vernünftig lieben, den kleinen Frieden, das kleine Glück suchen. Er würde nicht ewig in seinem Leid schmoren. Er war lebendig, und die Toten lagen stumm in ihren Gräbern oder standen im Durchgang Richtung Nirgendwo.

Unter drei hohen Tannen kam der Zug zum Stillstand.

Mehrere Schubkarren abgestellt am Seitenpfad. Ein Augenfalterpärchen verschwand in ihrem Schatten. Kleine Nebenbemerkung: er war lächerlich seriös angezogen. Seine Schuhe drückten.

Anderntags empfingen ihn die Eltern in ihrem Haus. Um Gotteswillen, warum hatte ihnen Elisabeth diesen tüchtigen lieben Menschen, den sie sofort ins Herz schlossen, soweit sie das noch verkraften konnten, nicht vorgestellt? Sie hätten doch alles dafür getan, damit sich Gerhard bei ihnen wohl fühlte, und hätten – natürlich dezent, man durfte sich ja nicht allzu sehr einmischen – Elisabeth zu verstehen gegeben, daß er der Richtige für sie war; aus Gerhard würde noch etwas werden, das merkte der alte Kurz schnell, und Geld spielte ja sowieso keine Rolle, Geld hatten sie selber genug.

Als Gerhard das geräumige Haus betrat, in dem die Eltern wie einsame verschüchterte Vögel herumstanden, kaum fähig, ihm mit fester Stimme einen Platz auf dem Sofa anzubieten – wie stark zitterte die Hand der Mutter, als sie sie vorstreckte, um ihm eine Tasse Tee einzuschenken und ein blumenverziertes Tellerchen mit Mürbegebäck in seine Nähe zu rücken –, verstand er Isa noch weniger.

Sie war elfenklein, ganz zart. Kompostfarbene Schühchen, Größe 34.

Zucker?

Nein danke, ohne.

Kalte, hochmütige, protzige Leute hatte er erwartet, aber sie waren anders. Das waren keine Eltern, die ihren Kindern die Hölle bereiteten, das waren verständige Leute, denen alles entrissen worden war, woran sie geglaubt hatten. Ihre Gesichter hatten die Farbe eingelegter Artischockenherzen. Sie waren bemüht, vernünftig zu erscheinen, und sahen ihn mit schüchterner Erwartung an, der Vater mit Isas Meerwasseraugen, die Mutter wie in Trance. Hatten sie geglaubt, daß er als Rächer ihrer Tochter über sie kommen und ihnen eine Strafpredigt halten würde? Er wußte selbst nicht, was er hier wollte, kam sich wie ein Eindringling vor.

Auf dem Riesensofa war's schwer, richtig zu sitzen, mit krummem Finger bohrte er nach einer Zigarette in der leeren Päckchenhülle, die er samt Fusselwürsten aus der Hosentasche gebracht hatte, bis ihn der alte Kurz erlöste, indem er ihm eine Roth-Händle anbot und das Feuerzeug aufschnappen ließ. Beim Aschenbecher drückte man oben auf einen Knopf, der Deckel verschob sich, dann versenkte man die Asche in seinen schwarzen Bauch.

Ein sympathischer alter Knacker. Er ging fortwährend hin und her, strich über die Lehnen der Sessel und hielt einen rührend feierlichen Vortrag über seine Kleine. Der Messias konnte nicht klüger gewesen sein als Kind, die Königin von Saba nicht liebreizender. Plötzlich bekam er einen verkniffenen Gesichtsausdruck, mußte sich abwenden, um lautlos in sich hineinzuschluchzen. In ein kariertes Taschentuch schneuzte er seine Pein.

Ihr Sessel stand weit vom Couchtisch entfernt. Sie raffte sich ein wenig hoch. Weiche, gedehnte Stimme wie ein feuchtes Läppchen: Bitte helfen Sie uns. Was war mit unserer Elisabeth los?

Gerhard mühte sich, einen passenden Einstieg zu finden. Seltsam sei sie gewesen, manchmal sogar mehr als seltsam. Exaltiert, ja, dann wieder merkwürdig ruhig. Alles in raschem Wechsel. Aber mit Drogen und Alkohol hatte sie nichts zu schaffen. Nichts Nennenswertes jedenfalls. Von Blumenberg –

Was war mit Blumenberg? unterbrach sie ihn. Sie soll ja völlig von ihm behext gewesen sein. Sagen Sie uns bitte, was war da genau los? Was wir von ihren Freundinnen wissen, klingt beunruhigend.

Nein, der Professor hatte sie gewiß nie berührt, nie und nimmer, hundertprozentig nicht; nicht einmal gesprochen hatte Isa je mit ihm. An eine echte Affäre glaubte kein Mensch. Wahrscheinlich wußte Blumenberg nicht einmal, daß sie bei ihm studierte. Sie war ja nie in seiner Sprechstunde gewesen.

Und es gibt da nichts, was Sie uns verschweigen? fragte der Vater unerwartet streng. Sie wollen den Professor doch nicht etwa schützen? Er konnte sich beim besten Willen nicht vorstellen, daß seine Elisabeth in einen Mann verliebt gewesen sein sollte, der sie nicht einmal bemerkt hatte. Ausgeschlossen. Sein Spatzl verdrehte aller Welt den Kopf, aber doch nicht umgekehrt.

Und sonst? Da muß doch was gewesen sein. In Isas Mutter ging alles durcheinander, aber langsam, zäh. Das waren wohl die Medikamente.

Er kam sich wie ein schlechter Psychologe vor, versagte kläglich. Faselte von Instabilität, Gemütsschwankungen, zur Schau gestellter Abwesenheit, immer wieder war sie weg, weit, weit weg. Schwer zu sagen, was wirklich in ihr vorging. Aber keine dramatischen Vorkommnisse, von denen er gewußt hätte.

Ein breiter Raum mit niedriger Decke. Vor der Fensterfront zog sich von einer Wand zur anderen eine ewiglange Konsole, auf der eine stattliche Messinguhr stand, in deren Glasgehäuse ein gläsernes Pendel schlug, und zwei chinesische Vasen, behütet von cremefarbenen Lampenschirmen. Überall Teppiche. Das viersitzige beigefarbene Sofa, auf dem er allein saß, drei beigefarbene Sessel. An der Rückwand ein querhängender Propeller aus Holz von einem alten Flugzeug. Längs eine Bücherwand mit Kunstbänden, Vasen, Krimskrams, einem Miniaturdavid von Michelangelo, Sachbüchern und einigen Romanen, Grass, Walser, wie er im Vorbeigehen gesehen hatte, *Vom Winde verweht*, *Wer die Nachtigall stört*. Gediegen ja, protzig definitiv nicht.

Stille breitete sich aus, in die hinein die Pendeluhr auf der Konsole schlug, dreimal, viermal, fünfmal. Es hörte sich laut an, als Gerhard den Aschenbecherdeckel zuschnappen ließ.

Sagen Sie noch was, bitte hören Sie nicht auf zu erzählen. Das klang wie ein Flehen. Die Mutter wollte der Stille entkommen, vielleicht wollte sie bloß von einer anderen Stimme beruhigt werden; es war nicht sicher, ob sie ihm überhaupt zuhörte. Ihre hellbraunen Seidenaugen, glasig von zuviel oder zuwenig an Gefühl, glitten immer wieder ins Leere.

Er fühlte sich ausgeglüht, als hätte man mit einem Flammenwerfer auf seinen Schädel gezielt. Jetzt hockte er da mit einem Haufen Asche im Hirn. Es brauchte Empfindungen, um gut zu denken, Empfindungen, um etwas Präzises zu sagen. Ihm fiel bloß ein, wie Isa ihn einmal angeschrien hatte: Fick dich ins Knie! Überschnappend laut. Bilder von Knochenmatsch und blutigen weißen Kleidfetzen trudelten vor seinem inneren Auge umher. Ein Meteor schlug durch die Decke und landete rauchend auf dem Teppich. Das konnte er Isas Eltern unmöglich servieren. Was er von ihrem Leben in der Wohngemeinschaft erzählte, kam ihm so schlapp vor, als hätten dort Leute aus Pappe gewohnt, in Pappmöbeln in einer Pappwohnung mit einem Pappkater, und während er einen Pappendeckelgedanken an den anderen reihte, wurde es sechs Uhr und Zeit zu gehen.

Der Löwe III

Was geschehen war, erfuhr Blumenberg am übernächsten Tag aus der Zeitung, blieb aber ahnungslos, welche Rolle er in dem Drama gespielt hatte. Zwar wurde auch unter den Kollegen an der Universität über den Fall geredet, weil er aber nie direkten Kontakt zu seiner Studentin gehabt hatte und nicht einmal ihren Namen kannte, brachte er die Tragödie nicht mit der jungen Frau in Verbindung, die, eine etwas leibarme Erscheinung, immer aufrecht in der ersten Reihe gesessen hatte, fragte sich auch nicht, weshalb sie plötzlich verschwunden war und nie wieder auftauchte.

Er bestritt die Nacht und abermals die Nacht mit Lesen, Karteikarten-Anlegen und Diktieren. Um ihn her war es wieder ruhiger geworden. Er hatte zum gewohnten Maß, sogar zu einem Übermaß an Arbeit zurückgefunden. Der Löwe war ihm inzwischen unentbehrlich geworden. Umgekehrt schien der Löwe sich auch an ihn gewöhnt zu haben. Wie ein alter Haushund schlief er entspannt auf dem Teppich und hob nur selten den Kopf, um die Lage zu überprüfen. Er war auch nicht von Auszehrung befallen, wurde nicht zu Haut und Knochen. Alt zwar, aber sonst wie eh und je.

Heute war Vollmond. Sein von der Sonne geborgtes Licht besorgte eine sanfte Überglänzung von Büschen und Bäumen. Wenn Blumenberg aus dem Fenster sah, begann, ganz wie Schopenhauer es formuliert hatte, sein Wille aus dem Bewußtsein zu schwinden und eine Ruhe des Herzens einzutreten, die sonst schwer zu erlangen war. Das milde Mondlicht war schön, weil der Mond den Menschen nichts angeht. Wurde ihm zugetraut, das Weltauge eines Gottes zu sein, so blickte dieses Auge nachsichtig und gleichgültig auf die Erde herab.

Wenn er den Mond sah, kamen ihm unweigerlich die berühmten Verse von Matthias Claudius in den Sinn, er summte sie im Inneren zu den sich automatisch einstellenden Wörtern mit, besonders liebte er:

> Der Wald steht schwarz und schweiget
> Und aus den Wiesen steiget
> Der weiße Nebel wunderbar.

Der Mond, der schwarze, schweigende Wald wurden in die menschliche Lebenswelt gezogen, durch die Kraft der Metapher konnten sie darin mit hoher Intensität Wurzeln schlagen, sich sinngebend einwohnen, gleichgültig, ob ein Mensch je im schwarzen Wald herumgeirrt war oder nicht. Die zweite Strophe von Claudius' Lied war auf ihn gemünzt, sie war seine ureigene Strophe, sie umfaßte sein Gehäusleben, wiewohl das in ihr beschworene *Verschlafen* sich in der Regel nicht einstellen wollte:

> Wie ist die Welt so stille
> Und in der Dämmrung Hülle
> So traulich und so hold.
> Als eine stille Kammer,
> Wo ihr des Tages Jammer
> Verschlafen und vergessen sollt.

Und doch. Und doch. Sobald er sich vom Fenster ab-wandte, mußte Blumenberg zugeben, daß er in seinem Zimmer unter einem wirksameren Einfluß stand als dem des Mondes, einem gewaltigen sogar, der ihn aus einer Welt zog, in welcher Erfahrungstatsachen galten, durch-drungen und erfaßt von logischem Denken. Umformung der Materie in die reine Erscheinung unter Wegziehung aller Substanzen, die gemeinhin zur Materie gehörten, gab es das? Konnte es so etwas überhaupt geben? Manch-mal überkam ihn das Mißtrauen, daß all die Worte, die er Nacht für Nacht auf die geduldig fortrückenden Bänder der Stenorette sprach, tote Worte waren, tot, tot, tot, weil sie für das Wesen auf dem Teppich nicht galten.

Er liebte seinen Löwen. Nicht viel anders, als ein Kind seinen Hund liebt. Ihm kam das zauberhafte Photo von Glenn Gould in den Sinn, als schöner Jüngling mit sei-nem schwarzweiß gefleckten Hund am Flügel sitzend, ein ebenfalls schöner Hund, der die Pfoten neben den Fingern des Pianisten auf den Tasten hat und konzen-triert in die aufgeschlagenen Noten blickt. Die beiden erweckten den Eindruck, als spielten sie zusammen, ja, als würde Glenn Gould überhaupt nur gelingen, was ihm gelang, weil der Hund mittat.

Sein Löwe war weniger gutmütig und weniger pos-senhaft veranlagt, dafür ein mächtiger Beschützer. Eine Traumgeburt von so unbedingter Präsenz, daß er an ihre Flanke gelehnt für immer in den endgültigen Schlaf hätte gleiten mögen.

Aber nein. Kein Traum. Der Löwe war am Ende ein so freies und unbedingtes Wesen, daß ihm das Recht, zu sein, was er ausdrückte zu sein, nicht streitig gemacht werden konnte. Die Seinszufriedenheit drang in selbstleuchten-

der Projektion aus seinem schon etwas fadenscheinig gewordenen Löwenkostüm hervor; es hatte keinen Sinn,
das, was auf dem Teppich sich zeigte, mit immer neuen
Zweifeln zu berennen. Der große Einfädler und Knoten-
wirrer hatte – wenn es IHN denn gab, ewig und unver-
nommen, aber im Geheimen wirksam – in dieser sagenhaft
löwenähnlichen, von einem wirklichen Löwen vielleicht
nur durch die Handprobe zu unterscheidenden Chimäre
einen ganz besonderen Prachtknoten geschürzt. Erfreue
dich an ihm, hieß die Devise, schicke dich drein und ge-
nieße den Kraftstrom, der sich zu deinen Füßen erhebt
und dich umhüllt.

Der Handprobe hatte sich Blumenberg nach wie vor
enthalten. Zartdünne Berührpunkte existierten zwischen
ihm und dem Löwen auch so. Ohne seine Einbildungs-
kraft sonderlich anzustrengen, spürte er das Fell des Löwen an seiner Wange, spürte er die Tatze des Löwen auf
seiner Schulter. Fühlte er solchen Kontakt, war er dem
Zwang zur radikalen Selbstverfügung enthoben. Von der
Enthärtung der physischen Wirklichkeit bei unverwandt
in die Erscheinung hineinblühendem Sein ging etwas zutiefst Beruhigendes aus. Nicht, daß er für gar nichts mehr
verantwortlich gemacht werden konnte, aber was ihm
auferlegt worden war, wog nun leicht, flaumleicht wie
die Brustdecke eines Spatzenkindes.

Obwohl – manchmal, wenn er in Gedanken war und
vom Tisch aufsah, erschrak er fast wie beim ersten Mal.
Die Ungeheuerlichkeit des Löwen kehrte dann mit voller
Wucht zurück. Ein Löwe! Ein Wunder! Ein Löwe! Zwar
beruhigte sich sein Herz schnell, aber seine Gedanken
gerieten ins Trudeln, und ein Gefühl, das zwischen Angst
und Entzücken hin- und herschwankte, ließ ihn mit leicht

gerunzelter Stirn nach oben schauen, wo sich allerdings nur die Decke befand und keine Himmelsschneise. Ob vielleicht doch alles, was er schrieb und dachte, von oben beäugt, kommentiert, überwacht wurde? Ob über ihm als Nachtwächter eine andere Nacht Wache hielt, mit durchdringender Intelligenz begabt, die ihm den Löwen zu Ermunterungszwecken geschickt hatte, vielleicht aber auch, damit endlich klarer, rücksichtsloser, entschiedener geschrieben wurde, damit er Risiken einging und sein Äußerstes zu Papier brachte?

In solchen Momenten sah er sich selbst die Peitsche schwingen und eine Schar Theologen vor sich hertreiben. Ihm wuchs ein Löwengebiß. Das Isaakopfer! Harrrrrrr! Gott hatte das Opfer nicht als Warnung für den Menschen, damit er sich von solchem Opfer abkehre, von seinen Banden erlöst, nein, nicht zu menschlichen Sittigungszwecken mußte der Widder als Stellvertreter herhalten, ER hatte das Isaakopfer vielmehr *verschmäht*, weil es *zu gering* war. Isaak, der kleine Wicht, der unbedeutende Sohn, viel zu unbedeutend für ein Gottesopfer. ER hatte auf das größere Opfer geharrt, ja, nach ihm gelechzt, ER hatte es auf das Opfer des eigenen Sohnes abgesehen! Aber warum? Um dem göttlichen Gemütsallerlei, das bisher allenfalls den Zorn und den Eifer kannte, den Schmerz hinzuzufügen, um selbst ins Leiden zu geraten und so etwas wie Vaterschmerz zu fühlen? Ihm kam die Alabaster-Trinität von Hans Multscher in den Sinn, das Gottvatergesicht entsetzt, entsetzt über das Angerichtete.

Oder: wenn in der Passion der Barabbas-Ruf ertönte, so hieß das auf aramäisch nichts anderes als *Bar-Abbas*, *Sohn des Vaters*, und damit hätten die Juden Jesus, ihren König, aus den Händen des Pilatus zurückverlangt und

ihm die Treue gehalten. Entgegengesetzt zu der verhäng-
nisvollen Deutung, die darin den Ruf nach Freilösung
eines Verbrechers gehört haben wollte.

Wenn ihn solche Gedanken überkamen, fühlte er, wie
das Blut frisch durch seine Adern strömte; alles in ihm
kribbelte und zirkulierte auf Teufel komm raus. Es hielt
ihn dann kaum auf seinem Stuhl, er mußte im Zimmer
herumwandern oder sich für eine Weile an das Stehpult
stellen und Kniebeugen machen, allerdings im gehörigen
Abstand zum Löwen, wodurch der Bewegungsspielraum
ziemlich eingeschränkt war, Löwe, der bei solchen Ma-
növern immerhin den Kopf hob und ihn – es kam ihm
jedenfalls so vor – leicht besorgt – oder war es eher iro-
nisch? – aus verwunderten Löwenaugen ansah. Ein, zwei
Mal war es sogar schon vorgekommen, daß er sich selbst
Krallen und Tatzen statt Hände und Fingernägel an den
muskelgeschwellten, fellbezogenen Leib gewünscht hatte,
um sich mit dem Löwen eine Mordsbalgerei zu liefern.
Himmlisch, mit einem Löwen zu brüllen und zu röhren
und spielerisch das Gebiß in seine Flanke zu schlagen; es
zuckten ihm förmlich die Hände, um das Krallenwachs-
tum hervorzulocken. Ein wenig fellhaft war er ja selbst;
wenn er auf seine zierlichen Hände blickte und dann auf
die Haare, die unter den zurückgeschobenen Strickbün-
den hervorquollen, kam er sich löwennah vor.

Einmal hatte er vor einem Käfig gestanden und Löwe
und Löwin bei der Begattung zugesehen. Aus nächster
Nähe. Ein ungeheures Schauspiel, eine Zumutung für die
Ohren. Das Gebrüll hallte von den gekachelten Wänden in
solcher Stärke wider, daß er sich schützend die Hände auf
die Ohren legen mußte. Der Löwe war jung, in seinen besten Jahren, ein prachtvolles Tier, das aus seinem innersten

Mark heraus brüllte. Das glänzende Fell, das Spiel der Muskeln – hinreißend. Angsterregend zugleich. Tatzenschläge, Nackenbisse. Die Löwin wurde machtvoll niedergedrückt. Gewalttätig war's, obszön, bei weitem alles übersteigend, was an Triebkraft in einem Menschen steckte. Blumenberg erschauerte und ertrug den Anblick nicht lang. Zwei Kinder standen neben ihm und sahen dem Schauspiel starr wie kleine Salzsäulen, mit offenen Mündern zu.

Sobald er sich beruhigt hatte und wieder auf seinem Stuhl saß, wurde er heiter und sehr, sehr friedlich. Die Himmelsflucht, aus der der Löwe herabgeströmt war, um sich als täuschend echte Erscheinung zurechtzukomponieren und in natürlicher Anmutung auf dem Teppich zu dösen, war dazu da, sein, Blumenbergs, Vertrauen in die Welt, zumindest bei Nacht, zu festigen.

Die Nacht lud ein zur Erinnerung. Mit dem Zurückweichen und Verstummen aller vordringlichen Geräusche trat das Untergegangene hervor und geriet vor die inneren Sinnesorgane. Aber der Löwe sorgte dafür, daß es ohne Angst geschah. Frühmorgens, wenn seine Stimme nicht mehr im Kontakt mit der Stenorette den Raum füllte, war er regelmäßig ins Lager Zerbst zurückgekehrt. Totentanzgetreibe. Nicht ganz zerlöst, rückte es jetzt in leichterer Schwebmanier heran. Er lag nicht mehr zittrig, hungrig, schweißkalt auf einer verwanzten Holzpritsche. Er roch nicht mehr den atemverschlagenden Gestank. Der Löwe beschützte ihn vor der Todesfurcht. Der Löwe führte Heinrich Dräger heran, den Lübecker Fabrikanten, der ihn vom Lager errettet und später sein Studium finanziert hatte. Die klugen Augen Drägers ruhten auf ihm. Tauchretter, Höhenatmer und Heeresatmer waren in den Dräger-Werken hergestellt worden. Es atmete sich schwer in jener Zeit. Was vom Lager übriggeblieben war, mußte den Löwen als Wächter passieren; der sorgte für eine Rückschau in bekömmlichen Maßen. Etwas Vogelflaum hing vielleicht am Stacheldraht, aber kein zerschundener Menschenleib. Der Draht selbst war zu einem Hakenmuster geworden, an dem sich kein Körper mehr zerfleischen konnte. Organisation Todt. Ging der Name durch den Löwen hindurch, verlor er seine böse Strahlkraft. Startbahnbau für Düsenflieger. Plattengießen für die Autobahn. Er mußte keine Fugen mehr verfüllen. Torfstechen. Er mußte nicht mehr Torf stechen. Seine Hände waren nicht mehr aufgerissen und blutig. Was er jetzt auf die Schaufel nahm, wog leicht. Leichtwiegende Papiere, auf denen er die Pathien der Zeit erforschte. Mischling ersten Grades. Die böse Bezeichnung war harmlos geworden. Die drei Schwestern seiner Mutter, die in Theresienstadt ermordet worden waren, auch seine Lieblingstante Laura, sie wiesen nicht mehr auf ihn als einen, der sein Leben in Ruhe genießen durfte. Was im Schatten lag, nahm teil am umhüllenden Atem der Luft, und die vom Leben Gelösten flohen weiter in die sich zudunkelnde Luft hinein.

Im Lager hatte er rettende Sätze geübt. Einmal hatte er eine Postkarte erhalten, auf ihrer Vorderseite der schlafende Löwe von Christian Daniel Rauch. Nicht dessen wachender Bruder. Die beiden monumentalen Eisenburschen stammten aus der Löwenschule der Hohenzollern, sie hatten am Eingang des Hotels *Stadt Hamburg* gelegen. Nach der Palmsonntagnacht 1942 waren sie verschwunden, um, als alles vorbei war, in der kleinen Anlage vor dem Holstentor wiederaufzutauchen. Der müde Löwe schlief, den schräggelegten Kopf auf eine Tatze gebettet, seine Mähne hatte nichts Mähnenhaftes, sie ähnelte einer Perücke aus Troddeln und Quasten und Korkenziehergewinden. Zu den kindlichen Mutproben hatte gezählt, sich am Portier des Hotels vorbeizustehlen und auf einen der blankgewetzten Rücken zu klettern, bis der Portier aufmerksam wurde und einen verscheuchte. Im Lager hatte ihn der tiefe Schlaf des Löwen beschäftigt. Und eine kindliche Idee war ihm gekommen: Wacht der Löwe auf, bin ich gerettet. Wacht der Löwe auf, bin ich gerettet. Der Eisenbeißerlöwe würde das Maul aufreißen und die Feinde zermalmen.

Sein Teppichlöwe war nicht aus schwarzem Eisenguß. An der Mähnenhaftigkeit seiner Mähne gab es nichts auszusetzen. Ein wirkliches Zwiegespräch zwischen ihm und dem Löwen war bisher unterblieben, obwohl sie sich stets in Hörweite voneinander aufhielten. Der Löwe öffnete nicht das Maul und sprach Königsworte in rauhtönendem Hochdeutsch. Allerdings gähnte er hin und wieder. Vielleicht öffnete er das Maul auch nur, um sein Gebiß zu lüften und zu zeigen, daß er im Ernstfall noch immer Herr der Lage wäre und mit einem Prankenschlag das unbeherrschbar Wirkliche ins Zimmer reißen könnte.

Er hatte sich bemüht, keinen Menschen mit der Angst zu belästigen, die er früher empfunden hatte und die später in manchen Nächten zurückgekehrt war. *Spiele nicht mit den Tiefen des Anderen*, an diese Aufforderung Wittgensteins hatte er sich intuitiv zu halten versucht, auch wenn ihm das nicht immer gelungen war. Man mußte den Anderen vor der eigenen Angst verschonen und durfte die Angst des Anderen nicht mutwillig hervorlocken. Mit dem eigenen Angstbekenntnis rief man bei seinem Gegenüber nur Verlegenheit auf den Plan. Der Löwe war ein

Gegenüber, dem mehr zuzumuten war. Überfiel ihn die Angst jetzt, gab er sie ohne Hemmung an den Löwen weiter, der sie verstand und sogleich entschärfte.

Blumenberg konversierte mit ihm auf inneren Laut- und Hörwegen. Nicht minder intensiv, als ob ein auf Band festzuhaltendes Gespräch zwischen ihnen stattgehabt hätte. Der Löwe vernahm alles, überprüfte alles und achtete mit hoheitsvollen Ohren, die selbst im Keim verworfene Gedanken hören konnten, und Augen, denen nicht die kleinste Bewegung entging, auf die Diktate Blumenbergs, damit der Philosoph bei seinen geistigen Flugmanövern auf Kurs blieb.

Der Löwe funktionierte anders, als Wittgenstein geglaubt hatte. *Wenn ein Löwe sprechen könnte, könnten wir ihn nicht verstehen*, hatte er behauptet. Blumenberg verstand ihn sehr wohl. Der Löwe fungierte als Zuversichtsgenerator, der die Härchen des Protests, die sich in Blumenbergs Denken immer wieder aufstellten, ein wenig glattbürstete. Bei jedem Fehlalarm, den Blumenberg auszulösen im Begriff war, gewahrte er am Löwen ein Zucken, das den Gedanken, erst halb in Worte gefaßt, unterbrach und unterband. Geriet er in Gefahr, sich allzu sehr auf Leerformeln auszuruhen, blähte sich die Rede durch unnütze Schnörkel und Girlanden, teilte sich der Unwille des Löwen sofort mit, und aus dem Geistbausch entwich die Luft. Blumenberg räusperte sich dann zur Entschuldigung und schwieg. Für eine Sekunde versank sein Hirn in glosender Schwärze, um in strahlender Klarheit wieder emporzutauchen, bereit für einen neuen Satz – zum Beispiel einen über die Theologie: Sie sei, diktierte er mit schneidender Lust, *das Stolzieren vor der verborgenen Majestät, der Widerspruch gegen den Selbstentzug der Gottheit*, wobei ihn die Lachlust packte, denn er sah plötzlich sich selbst mitsamt dem Löwen vor der verborgenen Majestät im Zickzack auf und ab paradieren.

Noch einen anderen Einfluß übte der Löwe auf ihn aus: hatte er früher an seine Berufskollegen gedacht, waren so manches Mal kleinliche Regungen in ihm aufgekommen, Neid. Neid besonders auf den Kollegen Habermas, der äußerst einflußreich war und ein stattliches Bataillon Schüler herangezüchtet hatte. Habermas. Landauf, landab fiel der Name. Zwar hatte er den stechenden Neid immer als unwürdig und unnütz empfunden, eine idiotische Selbstverminderung war dabei im Spiel, über die er längst hätte hinaus sein müssen, aber es war ihm nicht gelungen, ihn abzuschütteln, zumal der Kollege im selben Verlag publizierte und seine Bücher einen ungleich höheren Absatz fanden als die eigenen. Seit der Löwe ihm Gesellschaft leistete, fühlte er sich von solchen Eifersüchteleien erlöst. Habermas konnte nun tun, was er wollte, es kratzte ihn nicht mehr, ja, die habermasischen Bemühungen nahm er sogar mit heiterer Frivolität zur Kenntnis, wofern sie ihm bei Zeitungslektüren unter die Augen kamen. Eine Abneigung hatte er auch gegen den Kollegen Taubes gefaßt, von dem er ursprünglich viel gehalten und so manche Anregung empfangen hatte. Der Mann hörte das Gras auf den Schreibtischen wachsen. Aber sein Schwindeltalent, der Hang zur Intrige und zur Attacke, das Kritikgehabe, die verworrenen Umstände, in die er sich hineinmanövrierte, hatten ihm die Beziehung zu Taubes allmählich vergällt. Frostig hatte er ihm auf seine letzten Briefe geantwortet. Durch den Löwen hindurch nahm er Taubes' Schlechtigkeit nun nicht mehr als Ärgernis wahr, sondern als morosen Windmühlenkampf einer gehetzten, verstörten Seele, die unfähig war, zu dem zu stehen, was sie sagte, und eher Anspruch auf Mitleid als auf Verdammnis hatte, wiewohl er sich – trotz Löwe – nicht dazu überreden konnte, den Kontakt mit ihm wieder frisch aufleben zu lassen.

Und noch eins hatte der Löwe gelindert: hatten ihn früher Druckfehler, die er in seinen Schriften entdecken mußte, in Wallung gebracht – einmal hatte ihm, als er ein frisch gedrucktes Buch aufschlug und ihm sofort *Boch* in die Augen sprang, *Boch* statt *Buch*, man stelle sich vor! diese Teufelei das ganze Weihnachtsfest verhagelt –, so ärgerten ihn solche Fehler zwar nach wie vor, aber nur für kurze Zeit, ja, er entwickelte insgeheim sogar ein Gespür für den amüsierlichen Hintersinn solcher Fehler, was er nach außen hin, den Verantwortlichen gegenüber, allerdings nicht zugab, um sie ja nicht dazu zu verlocken, sich noch mehr Fehler zu leisten. Er bezeichnete sich gern als *Glücksaufschlager*, das meinte einen, der mit dem ersten Griff, der ersten aufgeschlagenen Seite inmitten eines Buchs, das für ihn Wesentliche erwischte. Im Falle des *Boch* war er eher ein Pechaufschlager gewesen.

Keine absurden Aufregungen, keine Verwirrspiele mehr. Zu Klarheit und Vertrauen trug der Löwe bei. In den kleinen persönlichen Dingen wie im Großen. Als wäre die augustinische Lehre von der Illumination, der göttlichen Erleuchtung des Seinsgrundes, auf leisen Sohlen in sein Zimmer getreten, um bei ihm Wurzeln zu schlagen. Und in ihn, einen Erwachsenen mit blendendem Verstand, genährt von und geschult in der modernen Skepsis, war etwas von der Weltgunst, die einst dem Kind gewährt worden war, wieder eingekehrt. Er war nun mühelos Ptolemäer und Kopernikaner zugleich, wanderte

wie ein Besucher, der zwei herrlich ausstaffierte Säle be-
staunt, den einen mit geschlossener Decke, den anderen
mit Loch darin, zwischen den beiden Weltdeutungszu-
ständen hin und her.

Im geheimen floß aus dem Löwen die nie versiegende
Zusicherung, das Netz der über Himmel und Erde gewor-
fenen Namen, welches die Menschen zu ihrer Beruhigung
ersonnen hatten, sei selbst dann noch reißfest, wenn Phy-
siker, Astronomen, Biologen und philologische Raspel-
werker mit feinen Scheren und Schabwerkzeugen emsig
an jedem Namen und jeder Metapher, die im Gefolge der
Namen heraufgezogen war, herumschabten und -schnit-
ten. Was nicht bedeutete, daß die Wahrheit statisch gegeben war. Sie mußte sich wandeln, aber eher in Form mäh-
licher Metamorphosen, ohne rigide Zersetzung älterer
Zuschreibungen und Denkmodelle, die in den Orkus geschickt wurden.

Obwohl nun alles zu seiner Zufriedenheit eingerich-
tet war, ertappte er sich manchmal bei der Träumerei, er
würde seinen Löwen einer Versammlung von Zoologen
und Zoodirektoren in einem riesigen Auditorium prä-
sentieren. Wie ein Dompteur, allerdings ohne Peitsche,
trat er herein, im Gefolge den schleichenden Löwen. Er
beugte sich zu ihm nieder und flüsterte ihm seine Befehle
ins Ohr, hieß ihn sich auf die Hinterbeine setzen oder sich
hinlegen, sich auf den Rücken wälzen und seinen Bauch
herzeigen. Verblüfft wären die Herren vom Fach, äußerst
verblüfft, wenn sie, von ihm dazu aufgefordert, die Handprobe vorzunehmen, vorsichtig näher rückten und – der
eine dem anderen den Vortritt lassend – durch den Löwen
hindurchgriffen und nichts, buchstäblich nichts erwisch-
ten als eine Handvoll Luft.

Hansi

Eine Vorlesung war ausgefallen, weil der Professor krank geworden war. Manche deuteten es als Zeichen, daß dieses Krankwerden mit dem Tod seiner Studentin in Verbindung stand. Soweit sie sich erinnern konnten, hatte der Professor noch nie eine Vorlesung ausfallen lassen. Es wurde darauf gelauert, ob er wohl in der folgenden Woche – und sei es in einer entlegenen Anspielung – auf den Vorfall zu sprechen kommen würde.

In gespannter Erwartung saß Hansi mit aufgeschlagenem Notizbuch, einen Montblanc darüber gelegt, in seiner Bank, ein Solitär zwischen drei frei gebliebenen Plätzen, die gemieden wurden, als könnte man auf ihnen einen Hautausschlag bekommen. Obwohl sich der Hörsaal füllte und einige schon auf dem Boden hockten, setzte sich niemand neben Hansi. Daß er einen Nachbar hatte, kam höchst selten vor, und dann handelte es sich jedes Mal um einen von den Alten aus der Stadt, die ihn nicht kannten.

Dieses Mal nahm Gerhard neben ihm Platz, was in Hansi eine winzige Aufscheuchung bewirkte, seine linke Wange begann zu zucken.

Von wem stammt der *Pont Euxinius*? fragte Gerhard.

Hansi rückte ein wenig von ihm ab, gab aber mit klarer Stimme Auskunft: Von einem unbekannten Studenten, der im Karzer starb. Dann hob er seine Ledermappe vom

Boden hoch, kramte darin und holte das Blatt mit dem Gedicht hervor. Er legte es vor Gerhard hin.

Gerhard überflog das Blatt. Es war fein säuberlich abgetippt, vermutlich auf Hansis Schreibmaschine, in einer leicht geschwungenen, etwas mädchenhaften Schrift.

Und wie bist du auf ihn gekommen?

Richard setzte sich auf die linke Seite neben Gerhard, ohne Hansi zu grüßen. Der kümmerte sich nicht weiter darum, sondern hielt den Kopf gerade und beobachtete Gerhard nur aus dem Augenwinkel, wobei er zu einer längeren Suada über seine Gedichtforschungen anhob: er sei darin Temperamenten auf die Spur gekommen, die auf dem Sonderrecht der Verborgenheit bestünden, sei es aus Gleichmut, sei es aus Resignation, und er sehe sich in der Pflicht, ihr sorgsam aufgebautes Incognito zu wahren und zu schützen, nur der Poesie selbst wolle er freien Lauf lassen, ihr zur Geltung verhelfen; um so bemerkenswerter, wenn die Gedichte einst in flüchtigen Kritzeleien aufs Papier geworfen worden seien, ohne Anspruch auf Ewigkeit, sich aber wie durch ein Wunder erhalten hätten, um nun in ihm, Hansi, einen zu finden, der sie wieder zu Gehör bringe und damit ihrer eigentlichen Bestimmung zuführe.

Gerhard hatte Mühe, sich auf Hansi zu konzentrieren, denn von der linken Seite her plapperte Richard ihm das Ohr voll. Auch er war ein Schwadroneur vor dem Herrn und erzählte von seinen Südamerikaplänen.

Dann öffnete sich die Seitentür, Blumenberg trat ein, legte Hut und Mantel ab.

Gerhard verstand nur die ersten Sätze Blumenbergs. Sie handelten vom Konjunktiv als einem meisterlichen Instrument, verschiedene Zeiten im Irrealis an das Denken heranzuführen, um die mit Hilfe von Meßinstrumenten captivierte Zeit und das, was sich in den Erinnerungen als abgelaufene Zeit und darin scheinbar gesicherter Bestand abgelagert hatte, zu durchkreuzen und in andere Modelle zu überführen. Blumenberg hatte dafür das Mittelfeld der riesigen, nicht ganz sauberen Wandtafel hinter sich freigewischt, das Wort *Irrealis* hingeschrieben und mit lauter von ihm ausgehenden Strichen versehen, so daß es aussah wie ein Igel.

Die rechts von den Strichen weggeschriebenen und links an sie herangeschriebenen Wörter konnte Gerhard nicht lesen, da er kurzsichtig war. Auch was Blumenberg dazu erklärte, verschwamm in seinem Inneren oder tauchte allenfalls in Bruchstücken auf, weil Isa wieder und wieder im weißen Kleid an ihm vorbeiradelte.

Obwohl Blumenberg auch von den Toten sprach, die im Hintergrund als Zeugen auf die Lebenden lauerten, Zeugen, vor denen sich die Lebenden zu verantworten hätten, worin die Idee der Unsterblichkeit zum Ausdruck kam, weil immer neue Generationen über den Tod der gerade Verstorbenen hinweg eine ins Unendliche driftende Zeitverlängerung betrieben, wobei an diese unentwegt sich ins Unendliche verlängerte Zeit der Konjunktiv seine subtilen Erkundungsmöglichkeiten gerade in bezug auf die Zeugenschaft herantrug, ließen sich die Ausführungen des Professors kaum auf den Todesfall beziehen. Gerhard ahnte, daß Blumenberg nicht wußte, wer die tote Studentin war, sie nicht im entferntesten mit sich selbst in Verbindung bringen konnte. Insgeheim grollte er ihm. Auch wenn Blumenberg keinen aktiven Anteil daran hatte, wofür er in Isas Hirn hatte herhalten müssen, war's ein Professorpopanz mit Namen Blumenberg gewesen, der sie in den Tod gescheucht, zumindest ihren Entschluß vorangetrieben hatte. Immer wieder hörte er die Uhr schlagen, die auf der Konsole im Wohnzimmer von Isas Eltern stand.

Auch Hansi tat sich offenbar schwer damit, sich zu konzentrieren, vielleicht, weil unüblicherweise ein Kommilitone den Platz neben ihm okkupiert hatte. Krampfhaft hielt er sein Notizbuch geschlossen, um zu verhindern, daß Gerhard darin unerlaubt Einblick nahm. Wenn er es aufschlug, um etwas zu notieren, benutzte er nur die rechte Seite und stellte die linke hoch, damit sein Gekritzel geheim blieb. Seine Beine fuhren in einer Scherenbewegung immer wieder auseinander und zusammen, bis er die Hand auf den rechten Oberschenkel legte und die Bewegung unter Kontrolle brachte.

Richard hing überaus entspannt in seinem Sitz, wahrscheinlich würde es nicht allzu lang dauern, bis er vollends einschlief. Saß der Mann zur Rechten aufrecht wie ein Pharao, rutschte der Mann zur Linken immer mehr in sich zusammen. Gerhard war irritiert, da er zwischen zwei so ungleichen Nachbarn eingeklemmt saß. Wobei ihm Hansi mehr zu schaffen machte. Er bereute es, neben ihm Platz genommen zu haben. Von Hansi ging eine enorme Spannung aus, die auch auf ihn übergriff, seine ganze rechte Seite war dadurch in Aufregung gesetzt, keine produktive Spannung, die etwa die Aufmerksamkeit erhöht hätte, sondern eine aggressive, paranoide Zwistigkeit, die nun auch in seinem Inneren zu toben begann.

Gerhard schnappte mit Müh und Not den Satz auf: Wenn die Toten noch lächeln könnten, würde Stefan George gelächelt haben, den Blumenberg dahin gehend interpretierte, der Konjunktiv gewähre hier eine außerordentliche Seelenfeinsicht, er gewähre *Edelmütigkeit* – dann war es um Gerhards Aufmerksamkeit geschehen. Hansi hatte ihn im Griff. Alle seine Gedanken schwirrten um Hansi, waren bestrebt, das Phänomen Hansi zu ergründen.

Weshalb war es so kompliziert, mit Hansi auszukommen? Gerhard war nicht der einzige, der damit Mühe hatte, obwohl er gerade eben durch das vorgelegte Gedichtblatt einen erstaunlichen Vertrauensbeweis von dem seltsamen Gesellen empfangen hatte. Hansi war schön, vielleicht der schönste Mann in Münster. Schöner als alle *Tatort*-Männer, was kein Kunststück war, aber auch schöner als die meisten Hollywood-Schauspieler. Er zog Blicke auf sich, verwunderte, versonnene, erregte. Aber nur für kurze Zeit. Irgend etwas stimmte nicht mit Hansi. Er thronte irgendwo hoch, hoch oben. Und hatte die unter Studenten ausgestorbene Eigenart, immer mit vorgesteckter Serviette zu essen.

Gerhard sah auf die linke Hand Hansis, bemerkte einen goldenen Ring, der ihm noch nie aufgefallen war, geschmiedet aus zwei schmalen stilisierten Händen, deren Finger ineinandergriffen. Auch der Ring war schön. Aber Hansis Fingerkuppen waren vom Rauchen braun verfärbt.

Hansi war einsamer als jeder andere Student in Münster, da war sich Gerhard sicher. Er war großgewachsen, aber nicht zu groß, schlank, aber nicht knochig, sein gepflegtes braunschwarzes Haar reichte ihm bis an den Hals. Er hatte scharf umzogene blaue Augen, eine kühne, dabei zartflügelige Nase, die Lavater zu Schwärmereien verlockt hätte, ein mustergültig gebildetes Kinn, nicht zu weich, nicht zu energisch; er trug dunkelblaue Jacketts mit Kapitänsflair, immer tadellos in Schuß, wahrscheinlich ließ er sie von einem Schneider anfertigen, denn sie saßen paßgenau an den Schultern, so wie es in der Herrenkleidung lange Zeit üblich gewesen war. Hansi machte die Mode der überhängenden, gepolsterten Schultern nicht mit. Bei ihm gab es auch gar nichts aufzupolstern, am schönsten war Hansi, wenn seine männliche Kleidung ihn knapp umhüllte, ohne Falten zu werfen oder zu zwikken. Modisch waren allenfalls seine enganliegenden Jeans, weder verwaschen noch geflickt noch löchrig. Und dazu trug er dunkelbraune Lederschuhe, niemals Clarks und niemals Sportschuhe. Ohne Zweifel, Hansi war ein Mann mit Herrenattitüde, allerdings ging diese Attitüde ins Leere.

Hansi war sehr sauber, sein Haar immer frisch gewaschen, die Fingernägel hielt er tadellos weiß. Er roch gut. Warum mied ihn Gerhard, warum mieden ihn seine Kommilitonen?

Man hatte ihn nie in einer näheren Verbindung mit einem Menschen gesehen, weder mit einem Mann noch mit einer Frau. Hansi sei schwul, wurde allgemein angenommen, aber zu scheu, sich aus der Deckung zu wagen. Vielleicht, vielleicht auch nicht. Es gab keine Theorie, die auch nur das Fitzelchen einer belegbaren Wahrheit für sich hätte beanspruchen können.

Hansi blieb allen ein Rätsel. Jemand vermutete, Hansis Familie stamme aus der Schweiz. Dafür sprach sein gestochenes Hochdeutsch, in dem hin und wieder Helvetismen auftauchten. Er wohne bei einer Schlummermutter mit Schnarchbinde, hatte Hansi einmal zum besten gegeben und damit keine geringe Aufregung verursacht, bis man dahinterkam, daß mit der Schlummermutter seine Zimmerwirtin gemeint war. Monatelang wurde Hansi nun von seinen Kommilitonen allnächtlich neben die Schnarchbinde gebettet, bis sich der Gag allmählich verflüchtigte. Zu vermuten war, daß er eher aus vermögendem Haus stammte, denn er wohnte in der teuersten Gegend von Münster, in einer Villa. Mit der Liebe in Verbindung brachten ihn nur die Gedichte, die er entweder vom Blatt las oder auswendig vortrug.

Wieder und wieder hatte Gerhard beobachten können, wie Frauen versuchten, in Hansis Nähe zu gelangen. Einige hatten es sich zur Aufgabe gemacht, Hansi zu retten und ihn als mustergültigen Schönling der menschlichen Gemeinschaft zurückzuerstatten, doch selbst die hartnäckigsten mußten über kurz oder lang einsehen, daß sie bei Hansi an der falschen Adresse waren. Wer mit ihm in Verbindung geriet, erntete jedenfalls nichts, was man als Gemütsregung hätte bezeichnen können. Seine Gleichgültigkeit war nicht zu durchbrechen. Gefühle, die man ihm antrug, versanken spurlos in ihm. Isa hatte Gerhard freimütig davon erzählt, wie schön sie Hansi fand, wie sie von ihm angezogen und sogleich wieder abgestoßen worden war. Als er ihr zum ersten Mal in Blumenbergs Vorlesung begegnete, hatte sie heimlich Musterung gehalten, die überaus wohlwollend ausfiel, war aber rasch stutzig geworden: irgend etwas stimmte nicht mit Hansi. Er hatte einen Knacks.

Sein Tic mit den Gedichten! Hansi kreuzte regelmäßig in Lokalen auf, sommers begnügte er sich mit einem Auftritt auf der Straße, winters drängte er in die Innenräume, steuerte auf zwei, drei Tische zu, die nebeneinanderstanden, und legte los. Mit eiskalten Augen fixierte er seine

Opfer, während er, mit einer Floskel um Erlaubnis fragend und eine Antwort nicht abwartend, anfing, Gedichte in einem unangenehm schnarrenden Ton vorzutragen. Die meisten kannte er auswendig, für einige entnahm er in Klarsichthüllen gelegte Blätter aus seiner Mappe, blickte auf das Blatt, blickte auf seine Zuhörer, die mit Mienen der Abwehr wie festgenagelt auf ihren Stühlen saßen, und wurde dabei allen, ausnahmslos allen, zur Pein.

Einige, die ihn nicht kannten, wunderten sich, daß der Mann so schön und dabei so verdreht war, andere, die ihn schon öfter gehört hatten, wurden regelrecht wild. Es kam vor, daß man Hansi mit Tomatenscheiben bewarf, daß die Speisekarte wie ein torkelnder Flieger zu seinen Füßen landete; eine aufgebrachte Frau hatte einmal sogar mit der Pfeffermühle nach ihm gezielt. Die meisten Kellner trauten sich nicht, Hansi aus dem Lokal zu scheuchen. Er trat mit solcher Entschlossenheit an die Tische heran, daß womöglich größerer Schaden entstanden wäre, hätte man ihn davon abhalten wollen. Am Ende seiner Vorführung verbeugte sich Hansi und sammelte Geld in einem verbeulten Blechaschenbecher der Marke Gitanes. Die Ausbeute blieb gering. Auch über seine merkwürdige Art zu betteln wunderten sich die Kommilitonen. Hansi konnte unmöglich auf die paar Pfennige angewiesen sein, die da zusammenkommen mochten.

Die Gedichte, die er vortrug, handelten durchweg von der Liebe, genauer gesagt: vom Liebeshader. Und es waren beileibe keine schlechten – Friedrich Hölderlin, Johann Wolfgang von Goethe, Clemens von Brentano kamen zu der zweifelhaften Ehre, vom höllischen Geschnarre Hansis auf den winzigen gastronomischen Bühnen der Stadt Münster zu einem fatalen Minutenleben erweckt zu werden. Hansi unterschlug die Namen der Dichter, aber es kümmerte eh niemanden, in Erfahrung zu bringen, von wem die Texte waren.

Offenbar liebte Hansi Gedichte, in denen ein großes Du von einem flatternden Ich umkreist, umfangen, zur Strecke gebracht oder für immer verloren gegeben werden mußte. Das eigentlich Sonderbare kam manchmal zum Schluß seines Vortrags, nur war da kein einziges Ohr mehr bereit, hinzuhören – Hansi schloß mit einem Gedicht voller Rätsel, ebenso dunkel wie sein im Dunkel verschwundener Autor:

Und mir ein Stein und dir ein Stein
am dunklen Pont Euxinius,
und hier und da ein Storchenbein
und siebzehn Groschen minus.
Vom Säbelhieb ein Achtel nur
betrunkner Janitscharen,
im Abendrot die Vogelspur
von neunundneunzig Jahren.

Der Walfisch und die Nachtigall
mit vierzig Gummibällen,
und mir ein Ball und dir ein Ball
im Kampf der Dardanellen.
Die Rose mit dem Sklavendorn,
der Sperber singt Vigilien,
und hier und da am Goldnen Horn
der Islam von Sizilien.

Und all die Kreise schwarz und rot,
der Radi blüht in Spanien,

und mir ein Brot und dir ein Brot
und Lotten die Kastanien.
Willkommen, bittrer Sonnenschein
im Dampf der Nebelmeere,
und hier und da ein Storchenbein
und Gott allein die Ehre.

Gerhard war vielleicht der einzige, der Hansi ohne deutliche Mißfallensbekundung zuhören konnte. Zwar stieß ihn die Stimme ebenso ab wie die anderen, aber er fand den Versuch kurios, als lebender Barde von Tisch zu Tisch zu wandern, so daß er Hansi geduldig beobachtete, um das Phänomen zu studieren. Ein junger Mann mit Gedichtrespekt! Das war außergewöhnlich, mehr als das, es grenzte ans Unwahrscheinliche. Gerhard hatte sofort erkannt, von wem die Gedichte waren, bis auf das letzte, das ihm fremd in den Ohren klang und seine Neugier weckte.

Obwohl fast eine Stunde verstrichen und Richard tatsächlich eingeschlafen war, saß Hansi noch immer in derselben angespannten Abwehrhaltung da. Daran änderte sich auch nichts, als Gerhard ihm das Euxiniusblatt wieder zuschob. Hansis Arm zuckte, als hätte ihn ein elektrischer Schlag erwischt. Dann packte er das Blatt kommentarlos weg.

Gerhard versuchte sich vorzustellen, wie Hansis Gesicht wohl in einigen Jahren aussehen mochte, vollends erstarrt, mit schütterem, aber noch ebenso langem Haar, mit harten Falten um den Mund, vielleicht wären einige Marotten eingezogen, das Wangenzucken etwa wäre vollends unkontrollierbar geworden, vielleicht würden Hansi trotz aller Reinlichkeit, die er jetzt an den Tag legte, sogar ein paar Zähne fehlen. Dabei kamen ihm die Leistungen in den Sinn, die der Professor vor einer Weile noch am Konjunktiv gerühmt hatte, aber inzwischen war die Vorlesung längst zu anderen Themen übergewechselt.

Der Löwe IV

Mit der Vorlesung war er nicht zufrieden. Sie kam ihm etwas zerhackt vor, mit seinem Erzähltalent hatte er nicht so brillieren können wie sonst. Der Löwe war verschwunden geblieben, und das hatte ihn in Unruhe versetzt und um manchen guten Einfall gebracht. Gottlob, im Arbeitszimmer fand er den Löwen vor wie gehabt. Einen guten Schlußbogen zu finden, um die Zuhörer zu entlassen, war ihm diesmal nicht gelungen. Vielleicht hatte sein Versagen auch damit zu tun, daß eine Grippe ihn gepackt und er zwei Tage im Bett hatte verbringen müssen. Krankheiten, er haßte Krankheiten. Sie waren nichts für ihn. Reine Zeitverschwendung. Sie waren etwas für Leute, die sich gern in ihren Betten verkrochen und vor sich hinjammerten.

Seine Stimmung litt; er fühlte sich noch immer etwas schwunglos. Trotzdem freute er sich auf das Telephongespräch, das er später mit dem Redakteur führen würde. Sie kannten sich nur über den Apparat und durch Briefe, die sie gelegentlich wechselten. Blumenberg schätzte die Gespräche mit dem klugen, um einige Jahrzehnte jüngeren Mann. Da war jemand am anderen Ende der Leitung, der ihn verstand, der gewitzt und belesen genug war, ihm bis in entlegene Anspielungen hinein folgen zu können, und offenkundig Vergnügen daran hatte, sobald Blumenberg ein Thema anschlug, es durch eigene Anekdoten anzureichern. Natürlich behielt Blumenberg in den Gesprächen die Oberhand; er war verantwortlich für die Drift, in der das Gespräch voranglitt und vom jeweils eingeschlagenen Kurs abkam, aber der Mann besaß genügend Selbstvertrauen, um ihm frei, nicht etwa liebedienerisch oder gar unterwürfig zu begegnen. Umgekehrt übermittelte der Redakteur aus seiner Zeitungswelt Nachrichten und Anekdoten an das nächtliche Altenberge, noch bevor sie veröffentlicht waren, die wiederum er, Blumenberg, mit Vergnügen kommentierte, mit denen er sogar das eine oder andere Karteikärtchen füllte, nachdem das Gespräch beendet war.

Blumenberg schätzte den intensiven Austausch, der in schwebender Freiheitlichkeit sich nur über das Ohr vollzog. Vom menschlich Allzumenschlichen einer Nahbeziehung, in der Haut und Haar, Kleidung, Gerüche, Gesten, Blicke, verstörende Gewohnheiten beim Essen etwa und viele andere Dinge eine irritierende Rolle hätten spielen können, blieb ihr Verhältnis verschont. Blumenberg wußte nicht einmal genau, wie der Mann aussah. Ein kleines Photo – der Redakteur in einer stehenden Gruppe abgelichtet, wobei er den Kopf gesenkt hielt und nicht sonderlich gut zu erkennen war – hatte Blumenberg einmal in einer Zeitung gesehen. Aber das war mindestens zwölf Jahre her.

Kurz vor Mitternacht war es wieder soweit. Aus dem Weinkeller hatte er sich eine besondere Flasche Bordeaux verschafft, einen Saint-Émilion von 1977, einen Grand Cru vom Château Ausone, hatte ihn geöffnet, ihn eine Weile stehengelassen und sich nun ein Glas eingeschenkt.

Er nahm einen Schluck: wirklich erstklassig. Die Stimme des Redakteurs klang bei der heutigen Verbindung etwas entfernt. Rasch und unkompliziert, wie sonst zwischen ihnen üblich, konnte der Gesprächseinstieg nicht gefunden werden.

Es lag an ihm. Blumenberg hatte den brennenden Wunsch, dem Redakteur vom Löwen zu berichten. Der Wunsch loderte geradezu in ihm. Unbedingt, ganz unbedingt wollte er davon erzählen. Es mußte doch wenigstens ein Mensch vom Löwen erfahren, selbst auf die Gefahr hin, daß der ihn für verrückt hielte. Unmöglich. Selbst dieser besondere Mann am nächtlichen Apparat, mit dem er sich auf eine selbstverständliche Weise verbunden fühlte, würde eine solche Nachricht kaum verkraften können. Für übergeschnappt gehalten zu werden war noch die geringste Gefahr. Blumenberg durfte den Redakteur am anderen Ende der Leitung nicht in Verlegenheit stürzen. Der Einbruch des Absoluten war nicht mitteilbar. Er hätte nur Ratlosigkeit erzeugt, was wiederum auf ihn selbst, Blumenberg, so hemmend gewirkt hätte, daß ihnen beiden nicht herauszuhelfen gewesen wäre. Blumenberg sah das klar voraus, dennoch mußte er unablässig gegen das Verlangen ankämpfen, vom Löwen zu sprechen, jetzt, wo der gerade so einladend dalag und es in seinem Hirn von Löwenwörtern nur so wimmelte.

Etwas holperig kam ihr Gespräch in Gang, aus Verlegenheit leerte er das Glas mit dem herrlichen Wein zu schnell: Wetterlagen in Süddeutschland; über Mannheim war ein verheerendes Gewitter niedergegangen, vielleicht knackte es davon noch in der Leitung, dann gerieten die Worte eleganter in Fluß, sie kamen vom Hölzchen aufs Stöckchen, kamen auf Heideggers kindlich gründete Handschrift – er sprach das Wort *gründet* absichtlich mit frivol gespitzten Lippen aus –, Handschrift, die auf die

Herde der Heideggerianer bestimmt großen Eindruck machte, weil sie zur Unmittelbarkeit des Hirten gehörte, wobei Blumenberg von der *fellbekleideten Herde des Seinsspinners aus dem Schwarzwald* sprach, was dem Redakteur seltsam vorkommen mußte, der aber lachte nur, und seiner Stimme war nichts Ungewöhnliches anzumerken; sie redeten von den Scheinradikalitäten Heideggers, von den Stockungen, den Sackgassen, in denen sich die Philosophie immer wieder verfing, wobei Blumenberg sich mit ungewohnt metallisch klingender Stimme sagen hörte, eine Leistungspause täte der Philosophie gut, Leistungspause, wie sie auch große Säugetiere manchmal einlegten. Ruhig mehrere Jahre oder Jahrzehnte, vielleicht ganze Jahrhunderte. Dabei blickte er auf den Löwen, der zielgerichteter als sonst zu ihm hersah, wobei es ihm so vorkam, als flackerten in dessen Augen die inzwischen wohlbekannten ironischen Flämmchen auf.

Legen wir die Philosophie eine Weile auf Eis, sagte Blumenberg und erntete dafür ein leicht gequältes Lachen von der anderen Seite.

Der Löwe. Warum erhob er sich eigentlich nie und wanderte im Arbeitszimmer herum, kein einziges Mal bisher? Warum lag er immerzu derartig präzis an derselben Stelle auf dem Teppich, neunzehn Elefantentapfen bedeckend? Wie hingenagelt? Kopf vom Schreibtisch aus gesehen auf der linken Seite? Er hatte plötzlich den Wunsch, dem Löwen tüchtig in den Hintern zu treten, um ihn endlich aufzutummeln. Alles würde dadurch umgestürzt.

Der Löwe entblößte sein Gebiß, was aber mehr einem Grinsen glich als einer Drohung.

Blumenberg ritt der Teufel, daß er nun wie unter

Zwang, in einer abrupten Wendung, auf den sterbenden Edmund Husserl zu sprechen kam, wie dieser ewig lang im Bett gelegen habe, ein Mann, der mit der Wesensschau seine Philosophie eröffnet hatte, um sein Leben ausgerechnet mit der Schau von etwas zu beschließen, was keiner je erfahren sollte. Wahrscheinlich einem Löwen, setzte er allen Ernstes hinzu, aber gottlob schien der Redakteur den Nebensatz entweder gar nicht oder nicht richtig gehört zu haben, jedenfalls ging er nicht darauf ein.

Dann verwirrte sich das Gespräch. Sie kamen zurück aufs Gewitter, vom Gewitter auf die gräßliche Langeweile des Strandlebens, wofern man nicht im Meer schwamm oder allein war, vom Strandleben auf die Landung der britischen Truppen auf den Falklandinseln, von den Falklandinseln auf Maggie Thatcher, von Maggie Thatcher auf Helmut Schmidt (zwischen beiden wollte der Redakteur eine heimliche Sympathie entdeckt haben) und schließlich von Helmut Schmidt auf die verzwickten Probleme der Gerechtigkeit. Hoffnungslos, diese lösen zu wollen, ein Politiker konnte es nicht, obwohl er ständig so tun mußte als ob, nicht einmal die Philosophen waren dafür zuständig; kein Philosoph, der bei Verstand war, würde sich zutrauen, auch nur ein einziges Problem wirksam zu lösen, das die Gerechtigkeit aufwarf.

Am linken Ohr des Löwen zeigte sich ein kleiner Makel im Fell, offenbar eine Verletzung, die Blumenberg bisher noch gar nicht aufgefallen war.

Um sich vom Löwen abzulenken, erzählte er von seinen Kindern. Kinder verlangten nach Gerechtigkeit. Sie dürsteten danach, brennender, ungestümer als die Erwachsenen. Dennoch, als seine Kinder klein waren, war er schnell davon abgekommen, ihnen den gerechten Vater vorspielen zu wollen. Eine solche Farce vor ihnen aufzuführen war ihm gründlich mißlungen; dann hatte er es gar nicht mehr versucht. Dabei hatte er auf die Erfahrung vertraut, daß sich über eine längere Zeitdistanz hinweg manche Ungerechtigkeit von selbst ausgleichen würde. Was einmal ein Vorteil gewesen war, konnte sich zum Nachteil auswachsen; umgekehrt konnte eine Zurückweisung, die als bohrende Ungerechtigkeit empfunden wurde – war nur genügend Zeit verstrichen –, späten Lohn eintragen.

Der Redakteur fragte ihn, ob er vielleicht eine Glosse schreiben wolle zu seiner Weigerung, über Gut und Böse im moralischen Sinn zu philosophieren.

Auf keinen Fall.

Blumenberg wunderte sich für einen Moment, weshalb der Redakteur, der ihn doch inzwischen gut genug kennen mußte, um zu wissen, daß so etwas nie und nimmer in Frage kam, ihm den Vorschlag überhaupt angetragen hatte. Wahrscheinlich war der Löwe im Spiel. Der Löwe sorgte für Irritationen, die der Redakteur durch die Leitung hindurch gespürt haben mußte, ohne die leiseste Ahnung davon zu haben, wer sich im Arbeitszimmer des Philosophen befand und mithörte.

Die Raumbeschränkung einer Glosse für ein solches Thema! Weshalb er sich weigerte, über Gut und Böse zu philosophieren, ließ sich unmöglich darin unterbringen. Die gnostischen Dualismen waren ihm von jeher suspekt gewesen; er hatte sie immer bekämpft. Das absolut Böse hatte er zwar am eigenen Leib erfahren, dennoch waren ihm der rigorose Moralismus, die Selbstgerechtigkeitswogen, auf denen viele Studenten schwammen, unerträglich. Da wurde immer haarscharf gewußt, wer zu welchem Lager zu zählen war, was bei einem Mann wie zum Beispiel Ernst Jünger zu grotesken Fehldeutungen führte. Die jungen Leute, die diese Zeit nicht erlebt hatten, wollten nichts davon hören, was *Auf den Marmorklippen* damals, 1939, als das Buch erschienen war, bedeutet hatte.

Die junge Generation war von Abscheu und Neid erfüllt. Vage wußten seine Studenten davon, welche Drohungen über ihren Eltern und Großeltern geschwebt hatten und wie jämmerlich diese sich angesichts der Risiken betragen hatten. Das erfüllte sie mit Abscheu gegenüber dem Versagen und mit Neid gegenüber der sich ihnen niemals bietenden Möglichkeit, Gewißheit über sich selbst zu finden.

Aber er verspürte nicht die geringste Lust, solche Themen auszuwalzen oder auch nur anzureißen, schon gar nicht in einer Zeitungsglosse.

Ungewohnt heftig war er gewesen. Der Redakteur mochte sich wundern, womit er eine solche Abfuhr verdient hatte. Blumenberg war normalerweise bestrebt, sich höflich zu äußern, feinfühlig und äußerst zuvorkommend, wenn er einen Wunsch nicht erfüllen konnte. Unangemessen scharf war sein Tonfall gewesen. Es tat ihm leid. Verkorkst. Das Gespräch war durch und durch verkorkst, weil das einzige, wovon er brennend gern gehandelt hätte, nicht erwähnt werden durfte.

Alles in ihm drängte, schob, verlangte, ja, schrie fast danach, endlich, endlich vom Löwen zu sprechen.

In einer melodramatischen Aufwallung, die er sonst nicht an sich kannte, überkam Blumenberg das Gefühl, gerade die einzige Gelegenheit zu verpassen, mit einem Menschen von scharfem Verstand, der in wesentlichen Dingen seines Sinnes war, über das Ungeheuerliche zu reden, das ihm widerfahren war und noch immer widerfuhr.

Die ausgefaserte Schwanzquaste des Löwen zuckte leicht.

Es war schwerer als gedacht, ohne Zeugen auszukommen. Die Nonne – jaja, ohne Zweifel, sie war eine handfeste Zeugin, eine beeindruckende sogar. Trotzdem hätte er den Fall liebend gern mit einem belesenen Kopf besprochen, der die beweiskräftigen Indizien kannte, die der Löwe im Verlauf seines jahrhundertelangen Auftauchens und Wiederverschwindens hinterlassen hatte, ein Mann, der klug genug war, gemeinsam mit ihm darüber zu spekulieren.

Der Löwe hatte inzwischen den Kopf niedergelegt, ganz so, als wäre die Gefahr vorüber, daß er hätte Thema werden können.

Um dem jähen Wechsel im Tonfall die Schärfe zu nehmen, fragte Blumenberg betont freundlich nach der Arbeit des Redakteurs. An den humoristischen Auskünften, wie viele Stapel unnützer Bücher auf seinem Tisch lägen und wie viele Kollegen ständig in sein Büro stürzten, um ihn mit läppischen Fragen zu belästigen, merkte Blumenberg, daß der Redakteur ihm nicht böse war.

Sie verabschiedeten sich. Sein von drei Lampen erleuchtetes Arbeitszimmer inmitten der Nacht hatte ihn wieder.

Das Telephonat hatte eine düstere Leere in ihm hinterlassen. Er fühlte sich wie ein ausgeblasenes Ei. Für den Moment wußte er nicht, was er tun sollte. Sein Produktionseifer, der enorme Fleiß, der ihn immer ausgezeichnet hatte, all das war ein Kampf gegen die Leere. Ein Kampf, der nicht zu gewinnen war, wie er im geheimen wußte, ein Abwehrzauber, ähnlich dem Singen von Kindern im finsteren Walde.

Ihm kamen die eigenen Kinder wieder in den Sinn, das Licht, das er manchmal in der Nacht in ihren Zimmern angeknipst hatte. Vor Jahrzehnten, als alle noch klein waren, war er mit seinen Fledermausohren zuständig gewesen für Schmerzen, von denen die Kinder in ihren Betten manchmal angefallen wurden. Die Verzweiflung der Kinder, die keinen Schlaf fanden und litten oder von Alpträumen heimgesucht worden waren, konnte er immer noch spüren. In dieser frühen Zeit war es ihm gelungen, den Tröster zu spielen. Jetzt tröstete der Löwe ihn, aber der Schweigepakt, der ihm dafür auferlegt worden war, ließ sich nur schwer einhalten. Außerdem schien der Löwe allmählich etwas von seiner tröstenden Kraft einzubüßen. Weshalb war er heute nicht in der Vorlesung erschienen? Ein Warnzeichen! Blumenberg ärgerte sich, daß er von seinem Löwen bereits dermaßen abhängig war, daß dessen Wegbleiben ihn aus der Fassung bringen konnte.

Nein, über Gut und Böse würde er nichts veröffentlichen, schon gar nicht mit direktem Bezug auf den Nationalsozialismus. Er hatte sich auch zurückgehalten, als Hannah Arendt mit ihrer These von der Banalität des Bösen an die Öffentlichkeit getreten war. So scharfe Worte, wie er heute dafür fände, hätte er 1963 vielleicht nicht gefunden, obwohl das Buch damals schon seinen Unmut erregt hatte. In einigen Punkten mochte sie zwar recht haben mit ihrer These, aber dies am Fall Eichmann zu demonstrieren, zum neuralgischen Zeitpunkt seines Prozesses in Israel, da die Staatsgründung, zu der Leute wie Eichmann ja indirekt beigetragen hatten, noch nicht lange her war und Eichmann die einzige Zielperson, der einzig greifbare Schuldige war, dessen sich die Juden hatten versichern können, und nun ausgerechnet diesen Mann im Banalen des Bösen zu verharmlosen war ein Fehler, ja, mehr als das, es war verwerflich. Sechs Millionen Tote waren in den neuen Staat eingezogen. Nicht ob man etwas böse nennen durfte, war das Problem, sondern wann und wie. Sie hatte kein Verständnis für die Kraft des Symbolischen. Vor allem störten ihn der schnoddrige Ton und ihr Ehrgeiz, sich mit einer möglichst steilen These hervorzutun.

Problematisch war auch der Zeitpunkt gewesen, zu dem Sigmund Freud den *Mann Moses* veröffentlicht hatte. Freuds Darstellung des Moses als Ägypter erschien ausgerechnet in einem Jahr höchster Bedrängnis. Den Juden, denen kaum etwas anderes geblieben war, als sich an ihre Geschichte zu klammern, wurde auch noch ihr größter Überlebensvater, der Geschichtsheld des Exodus, genommen und den Ägyptern zugeschlagen. Gewiß, Freud war nicht auf Zerstörung aus gewesen, er hatte den Juden eher etwas von der Bürde ihrer Besonderheit nehmen wollen, um damit den Haß zu mindern, der sie in Europa umbrandete. Aber gerade das war falsch. Eine Wahrheit, die einige Jahrzehnte früher oder einige Jahrzehnte später befreiend hätte wirken können, war zu einem solchen Zeitpunkt unangemessen.

Ein schwerwiegender Irrtum, zu glauben, die Wahrheit mache frei, gleichgültig wann, gleichgültig wo, gleichgültig von wem geäußert. Alles kam auf den Zeitpunkt an, wann eine Wahrheit überhaupt vertragen werden konnte und wann nicht; wurde sie zum falschen Zeitpunkt, am falschen Ort an die Öffentlichkeit gebracht, sorgte sie nur für Verwirrung und trotzige Abwehr. Die Wahrheit erfüllte sich in der Zeit; auf langen Um- und Abwegen kam sie allmählich zum Vorschein. Die Bundesrepublik war ein Paradebeispiel dafür. Vieles von dem, was erst nach und nach ans Licht kommen konnte und noch immer Verstörungen hervorrief, hätte gleich nach dem Krieg nur bewirkt, daß die notdürftig erhaltenen Lebensgerüste massenhaft zusammengebrochen wären. Das Vergessen war notwendig. Ohne die heilsame Wirkung des Vergessens hätte sich der neue Staat gar nicht zivilisieren können.

Überhaupt: Wahrheit. Durfte der Wahrheitssucher darauf vertrauen, daß sich ihm das Seiende einfach so öffnete? Oder war da Gewalttat im Spiel, Überlistung, Abpressung, hochnotpeinliches Verhör des Gegenstandes? War das Wahrheitsvermögen des Menschen an die Ökonomie seiner Bedürfnisse gekettet oder durch seine Begabung zum Glück inspiriert, seine Begabung, den Überfluß zu ersehnen nach der Idee einer *visio beatifica*?

Vielleicht war es sogar die Einsicht, niemals im Besitz der Wahrheit zu sein, die frei machte und ihr gerade dadurch am nächsten kam, ganz im Gegensatz zur Verheißung, der Wahrheitsbesitz mache frei.

Blumenberg war jetzt richtig aufgepulvert, nahm sein Glas von einem Typoskript und schenkte sich neu ein. Er wollte das Thema verscheuchen, aber es drängte wieder heran. Die Verbrechen der Wehrmacht. Ein schlagendes Beispiel. Soweit die Verbrechen von einfachen Soldaten und mittleren Rängen verübt worden waren und nicht nur die wenigen Generäle betrafen, die man in Nürnberg abgeurteilt hatte, konnte von ihnen bis heute nur schwer öffentlich gesprochen werden. Dazu mußten viele Angehörige einer Generation weggestorben oder die wenigen, die noch am Leben waren, zu altersmürb und einflußlos geworden sein, um der Gesellschaft noch schaden zu können.

In seinem aufgekratzten Zustand war an normale Arbeit nicht mehr zu denken. Jäh stand er auf und umkurvte den Löwen mitsamt Glas in einem Bogen, fast wäre er gestolpert und hätte das Gleichgewicht verloren; der Löwe aber blieb ungerührt liegen, als wisse er genau, daß kein Fall zu befürchten war.

Blumenberg ging hinüber ins Musikzimmer, um sich über einer Einspielung der Goldberg-Variationen zu beruhigen.

Die Musik, die ja ursprünglich für einen Schlaflosen komponiert worden war, der sich zu seiner Aufheiterung ein Stück sanften und munteren Charakters gewünscht hatte, beruhigte und entspannte ihn tatsächlich. Gut, böse, böse, gut, das lästige Thema geriet allmählich in den Hintergrund; er fühlte, wie die Gouldschen Finger in präziser Hast auf seinen gesamten Körper einhämmerten, und so annehmlich weichgeklopft, wie er nun allmählich wurde, nahmen andere Gedanken von ihm Besitz.

Er dachte an eine Mappe, eine ganz besondere schwarzgeriffelte Mappe mit der Aufschrift *Was ist das Allerletzte?*. Darin verwahrte er seine Sterbeskizzen. Eher in leichtem, gewitztem Ton, nicht mit Schwere zu Papier gebracht, enthielt die Mappe seine Phantasien über die Art, wie Menschen starben. Menschen, die er persönlich kannte, und Figuren, die ihm aus dem öffentlichen Leben geläufig waren, eine Spekulation über ihre letzte Stunde, die zum Zeitpunkt der Abfassung noch nicht eingetreten war. Das Wann und Wie, die Hoffnungen, die sie hegen mochten, Gebrechen, die sie plagten, Erleichterung, die sich einstellte, Turbulenzen, mit denen sie es zu tun bekamen, Erwartungen, die nicht erfüllt oder so umfassend erfüllt wurden, daß Schrecken daraus erwuchs. Einen sympathischen jungen Fant etwa, der bei ihm studiert hatte, sah er als Uralten, über Hundertjährigen, vor Adonai hintreten, der ihm die Antwort auf die Frage nach seiner Existenz ins Ohr tuschelte, damit die Engel nicht eifersüchtig würden. Angesichts der vielen, vielen Ewigkeitsadepten um ihn her hatte der Mann bloß einen Wunsch: Bitte lösche meine Existenz aus. Das sah auf den ersten Blick gewichtiger aus, als es gemeint war. Der Ton hatte etwas von einem sprudelnden Aspirinwässerchen.

Seit Jahren schon sammelte er solche Mutmaßungen und hatte seine geheime morbide Lust daran. Vielleicht würde er später wieder ins Arbeitszimmer überwechseln und eine Skizze darüber anlegen, wie der Redakteur, dieser schlaue Erzskeptiker, starb.

Weiteres Zwischenstück, in dem der Erzähler die Zeit um ein Jahr voranschiebt

Anders als versprochen, meldet sich der Erzähler noch einmal zu Wort. Wir sind wieder im Mai, aber nicht im Mai 1982, sondern im Mai 1983. Was sich dazwischen alles zutrug in der Welt? Gewiß abermillionenmal mehr, als ein Erzähler, und sei er noch so gewissenhaft, zu Papier bringen könnte (und sollte). Halten wir fest, daß Helmut Schmidt die Regierungsgeschäfte an Helmut Kohl abtreten mußte. Die Argentinier, die sich mit blumigen Nationalworten in den Krieg gestürzt hatten, holten sich auf den Falkland-Inseln eine blutige Nase. Die eiserne Lady konnte den Sieg für sich verbuchen und blieb an der Macht. Der amerikanische Präsident hieß Ronald Reagan. Klaus Barbie, der Schlächter von Lyon, wurde in Bolivien festgenommen. Der *Stern* veröffentlichte die gefälschten Tagebücher Adolf Hitlers. Um Vivi Bach und Dietmar Schönherr wurde es stiller. Es starben Ingrid Bergman, Glenn Gould und Walter Spahrbier, der lächelnde, hornbebrillte Glücksbote aus dem westdeutschen Fernsehen, der immer mit hoch aufragender schwarzer Schirmmütze aufgetreten war, vorneauf ein glänzendes Posthornabzeichen.

Gerhard fühlte sich einsam. Nicht nur seine Freundin hatte er verloren, auch Richard war ihm abhanden gekommen, der ewig verdrossene, aber hin und wieder hoch amüsante Richard, der sich in der Ferne allmählich in einen anderen Menschen zu verwandeln schien. Seine Briefe, die in immer größeren Abständen aus Argentinien, Chile, Bolivien, Peru in Münster anlangten, zeugten mehr und mehr von einer selbstvergessenen Beobachtungsgabe, die Gerhard gar nicht an ihm kannte. Offenbar war das fremde Leben so auf den Freund eingestürmt, daß keine Luft blieb für seine üblichen Nörgeleien und Besserwissereien. Gerhard vermißte ihn sehr, insbesondere war er neugierig auf den verwandelten Richard, der womöglich weniger schläfrig, weniger trunksüchtig und weniger auf seine uralten Geschichten fixiert war. Ob Richard seinen Eltern nach Paderborn auch so gewitzte Briefe schrieb? In Hansi fand Gerhard keinen Ersatz, Hansi blieb der Immerselbe, unzugänglich, abweisend, aufdringlich wie gehabt mit seinem Rezitiertic. Zu weiteren Annäherungen kam es nicht, man grüßte einander mit einem Kopfnicken aus der Ferne, dabei blieb's.

Und Blumenberg?

Blumenberg war dem Phänomen Löwe während des ganzen Jahres keinen Deut nähergekommen. Oberflächlich betrachtet. Wenn doch, so ist jedenfalls kein Hauch der innersten Geheimnisse, die Blumenberg und den Löwen durchwitterten, ans Ohr des Erzählers gedrungen. Ein Erzähler sieht zunächst nicht, er hört und verwandelt das Gehörte in Bilder, oder er hört mit den Augen – *To hear with eyes belongs to love's fine wit*, wie es in einem Shakespeare-Sonett so treffend heißt. Einmal wollte der Erzähler dem Gekruschtel im Arbeitszimmer und den zur Decke steigenden Gedanken entnommen haben – es war aber nur eine Vermutung, mehr nicht –, daß Blumenberg eine geheime Mappe anlegte, in der er verwahrte, was er über seinen Löwen zu Papier brachte, Wunderkeimendes, flüchtig, sehr flüchtig hingekritzelt, nicht wie sonst üblich maschinengeschrieben oder in seiner gut leserlichen, im Runden sich einwohnenden Schrift. Alles über ihn und den Löwen. Die Mappe wurde versteckt, es gab offensichtlich nicht die richtigen Hände dafür, in die sie hätte gelangen dürfen. Und das Ohr des Erzählers war nicht fein genug, um zu erraten, wo sich die Mappe befand, nicht fein genug für das Hörensagen, Sagenlauschen, für *das Hören höret nimmer auf*, und so konnte sich sein Auge nicht scharfstellen, um das Inliegende zu erkennen.

Blumenberg sammelte allerdings auch Löwennotizen in herkömmlicher Form, die er nicht verstecken mußte, allmählich schwollen die diesbezüglichen Karteikarten zu einem größeren Stapel an. In den Vorlesungen war der Löwe kaum aufgetaucht, dafür lag er wie eh und je nachts im Arbeitszimmer auf dem angestammten Teppich. Unweigerlich hatte sich Gewöhnung breitgemacht; es kam vor, daß Blumenberg seinen Löwen während der Nacht einfach vergaß. Alles blieb beim alten. Eine handgreifliche Annäherung hatte Blumenberg nicht riskiert. Wenn auch nicht mehr so stark wie am Anfang, strömte aus dem Löwen noch immer Kraft und Zuversicht, sie strömte beständig und hatte zur Folge, daß Blumenberg sogar besser und erholsamer schlief, wenn er schlief, und auf Schlafmittel, die immer sein letzter Ausweg gewesen waren, um überhaupt zu schlafen, verzichten konnte.

Richard

Der Mai dieses Jahres war nicht besonders regenreich. Nur einmal am Tag wurde er von lauwarmem Regen durchnäßt und von lauwarmen Brisen trockengefächelt. Richard war seit Monaten schon auf dem südlichen Teil des amerikanischen Kontinents unterwegs. Opulente Romane, in denen das Leben aus jeder Seite nur so herausquoll, worin Levitationen so selbstverständlich waren wie das niedere Treiben auf der Erde, hatten ihn hierher gelockt, wohl auch die letzten Wallungen des Revolutionsfiebers, das ihn, den in Paderborn geborenen Sohn eines höheren Postbeamten im Verwaltungsdienst, einst auf dem Gymnasium gepackt hatte, vor allem aber das Mißtrauen, welches er seinem verbrecherischen Heimatland gegenüber hegte – ein böses, fort und fort schwelendes Mißtrauen, an dessen Rändern die Paranoia flackerte.

Er war gescheitert, und zwar gründlich, aber das Versagen hatte seinen Körper und sein Denken nicht mehr in der Gewalt. Monatelang hatte Richard mehr dahinvegetiert denn gelebt mit nichts als seinem Scheitern im Kopf. Nach außen hin hatte er sich abgebrüht gegeben, war in den Vorlesungen eingeschlafen, hatte in den Kneipen die Frauen abgeschleppt als ein verrucht alkoholisiertes Subjekt, das vielleicht nur im Bett zu retten war. Sogar seinem Freund Gerhard gegenüber hatte er den Überlegenen gespielt, ausgerechnet vor Gerhard, der guten alten Haut, hatte er dieses Theater aufführen müssen. Von wegen, er, Richard, habe alles schon erlebt, was es zu erleben gab! In Wirklichkeit hatte ihn sein Versagen gelähmt, und er hatte überhaupt nicht gelebt, und auf Gerhard, den er immer bespöttelt und ein bißchen heruntergeputzt hatte, war er insgeheim neidisch gewesen.

Ich bin ein totaler Versager, sagte sich Richard, oder vielmehr, er sagte es ganz leise in den Fahrtwind, und der Fahrtwind trug es zu den Vögeln, die gerade über ihm den Strom kreuzten, und er amüsierte sich dabei, denn sein Versagen wog inzwischen leichter als eine Feder. Er lag in einer Hängematte, seit Tagen, nein, seit Wochen schon, er hatte keinerlei Überblick mehr über die dahineilende Herde der Tage. Die Hängematte befand sich am Bug eines kleinen brasilianischen Frachters, der den ganzen ewiglangen Amazonas entlangfuhr.

Seinem Professor in Münster – Münster, dieses Nest, war in Richards Vorstellung inzwischen zu einem Spielzeugstädtchen geschrumpft, in das ein Vierjähriger hineinlangen konnte, um mit seinem Auto brummbrumm zu machen –, seinem Professor hatte er niemals imponieren können, mit nichts, rein gar nichts. Die Szenen, die das bewiesen, sah Richard jetzt in präzis ausgeleuchteter Schärfe vor sich. Er sah sich selbst als bleichen Wurm, der hinter dem Professor herkroch: ein schiefes Bild, der Professor war immer zu schnell fortgeeilt, nach Hause, in sein eigenes Reich, als daß Richard oder sonstwer hätte hinter ihm herkriechen können. Trotzdem entsprach die Wurmhaftigkeit Richards der Wahrheit, und manchmal hob dieser Wurm, der Richard lange Zeit gewesen war, flehentlich das Köpfchen, bitte bitte, Herr Blumenberg, wollen der Professor mich doch bitte bemerken. Richard lachte auf, als er sich seine komisch fruchtlosen Bemühungen ins Gedächtnis rief, ein bedeutendes Zeichen seiner selbst vor die unerbittlichen Augen des Professors zu pflanzen.

Die Monate, die er bisher in Südamerika verbracht hatte, in Argentinien und Chile, hatten die Verachtung, die er für sein eigenes Land hegte, inzwischen gemildert. Daß es in der Bundesrepublik ruhig und bequem zuging, während sich Pinochet Jahre zuvor blutig an die Macht geputscht und nebenan General Videla als knochenharter Diktator regiert hatte, der Gegner von der Straße wegfangen, foltern und ins Meer werfen ließ, gab ihm zu denken. Mit dem Grauen, das aus diesen Diktaturen sickerte und das Alltagsleben vergiftete, war er in Berührung gekommen, sobald er Leute näher kennengelernt und von ihrer Angst erfahren hatte. Der moralische Rigorismus seiner eigenen Generation, die verbockte Kampflust gegenüber den Eltern, eine Haltung, die wenig davon wissen wollte, wie es sich im einzelnen unter dem Faschismus gelebt hatte, wurde ihm allmählich suspekt. Und er begann zu verstehen, weshalb dem Professor dieser Rigorismus auf die Nerven gehen mußte, obwohl er sich niemals direkt, allenfalls in Anspielungen, die nur verstand, wer verstehen wollte, dazu geäußert hatte.

Mitten auf dem Amazonas dahinzufahren, in einer Hängematte liegend, während der warme Fahrtwind über seinen Körper strich, in dieser besonderen Lage, in der sich sein Körper glücklich fühlte wie nie zuvor, war es Richard möglich, sich an alles, was ihn während der letzten Jahre gequält hatte, deutlich zu erinnern, aber sein ins Deutliche gehobenes Elend schmerzte nicht mehr, der lind wehende Wind trug es davon. Selbst Isa, die er aus

Leibeskräften verachtet hatte, sah er nun in anderem Licht. Sie war auch eine Versagerin gewesen, und ihm darin erschreckend ähnlich.

Womit war er denn nun gescheitert? Mit seiner Dissertation. Zwei Jahre lang hatte er sie zwischen seinen Fingern gewälzt, wobei es ihm niemals gelungen war, über die Seite sechsundachtzig hinauszukommen. Sobald er daran dachte, war ihm weniger zum Lachen zumute, aber lächerlich war das Ganze trotzdem, geradezu albern, wie Richard sich eingestand, mordsalbern sogar, dieses fruchtlose Bebrüten jeder einzelnen Seite im Hinblick darauf, ob sie dem Professor würde gefallen können; aber nein, natürlich würde eine so miserabel komponierte und schlampig gedachte Seite dem Professor niemals gefallen, er würde sie vor lauter Ekel nicht einmal lesen wollen, so ungefähr hatte sich Richard damals den Professor beim Lesen oder vielmehr Nichtlesen einer Seite seiner Dissertation vorgestellt, und des Professors nach allen Möglichkeiten hin ausgemalter Ekel hatte verhindert, daß Richard die Seite siebenundachtzig hätte in Angriff nehmen können und von da aus weiter die Seiten achtundachtzig, neunundachtzig und so fort.

Gottlob, es war vorbei. Am Thema hatte es nicht gelegen. Oder doch? War das Thema zu groß gewesen für Richards Kopf? Zu subtil für seinen rohen Charakter? Hatten ihn vielleicht die intrikaten Beziehungen, die zwischen den Jüngern und ihrem Herrn und zwischen den Studenten und ihrem Professor walteten – Jünger wie Studenten als zu erleuchtende Wesenheit, als Fleisch, in das der Geist fahren mußte –, daran gehindert, das Thema einfach zwischen zwei Fäuste zu nehmen und loszulegen?

Schon dem Kinde Richard hatte das Ausgießen des Heiligen Geistes großen Eindruck gemacht, besonders die Flämmchen, die auf die Köpfe der Versammelten gesprungen waren. Als ihm die Großmutter auf seine Bitten hin die Geschichte wieder und wieder erzählte, hatte sich der kleine Richard immer oben an den wassergezogenen Scheitel gegriffen in Erwartung eines Flämmchens, das sich zu seiner Enttäuschung aber niemals dorthin hatte verirren wollen.

Die kindliche Entflammtheit, die für den erwachsenen Richard nicht so ohne weiteres, höchstens mit einem karikierenden Grinsen, wiederzugewinnen war, konnte ihm bei seiner Dissertation nicht viel nutzen. Es nützte auch nichts, daß der kleine Richard unter den zungenfertigen Parthern immer einen oder mehrere Panther sich vorgestellt hatte, was die Sache allerdings sehr aufregend machte, denn Richard hätte sich für sein Leben gern mit einem ausgewachsenen Panther unterhalten. Nein, Richard war gescheitert, weil es ihm nicht gelungen war, hintersinnige Blumenbergfragen an die biblischen Texte heranzutragen und für diese Fragen wie in einem hochklassigen Billardspiel über die Bande treffsichere Antworten aufs Papier zu hacken.

Einzig das Kapitel über das pfingstliche Wasservogelsingen der Ortschaft Ringelai im Bayerischen Wald war nach Richards Dafürhalten passabel, wenn nicht sogar gewitzt ausgefallen, vielleicht auch noch die Fußnote über einige mittelalterliche jüdische Gemeinden, in denen es Brauch gewesen war, die Kleinen zu Shavuot im Alter von etwa fünf Jahren auf das Lesepult der Synagoge zu stellen und sie dann in die Shul zu tragen, wo sie die ersten hebräischen Buchstaben lernten und mit Süßigkeiten gefüttert wurden, weil die Tora ja süß in sie hineingehen sollte – alles schön und gut, aber er hatte diese einzelnen Teilchen Blumenberg ja nicht getrennt von den anderen, zähen Teilen, die sich gedanklich nie vom Boden lösten, zur Durchsicht geben können. Zäh, ja, zäh war er zwischen dem Alten und dem Neuen Testament hin- und hergekreuzt, hatte brav bei Moses begonnen, war über das Buch Ruth zu Joel, zur Apostelgeschichte, zu Johannes gelangt, hatte brav von den Reparaturleistungen gehandelt, die das Pfingstwunder an der Geschichte vom Turmbau zu Babel vornahm, aber so geistesöde wie ein Bibelingenieur, und nicht einmal ein guter, bis auf der vermaledeiten Seite sechsundachtzig die Quälerei zum Erliegen gekommen war.

Was hatte er sich abgerackert, um alles über die Meder, die Parther, die Elamiter, die Kyrener in Erfahrung zu bringen, die nach der wundersamen Fleischerleuchtung so munter mit den Ägyptern und Römern geplaudert hatten, in ihrer jeweils eigenen Sprache, doch von jedem anderen verstanden wie im Flug. Was aber Blumenberg seinen Studenten von Vorlesung zu Vorlesung lässig vorgeführt hatte, genau das war Richard versagt geblieben: auf etwas anderes hinzublicken, um zur Erkenntnis des einen anstelle von einem vagen Einerlei zu gelangen.

Dann hatte er von seiner Großmutter Geld geerbt und den Entschluß gefaßt, ein Jahr in Südamerika zu verbringen. Er hatte sich vorgenommen, den ganzen langen Amazonas per Schiff zu befahren, das heißt, zunächst nicht den Amazonas, sondern den Rio Ucayali, einen seiner Hauptzuflüsse. Und nun befand er sich endlich auf dem Amazonas.

Großmutters Geld war in Travellerschecks und Dollars verwandelt worden, die er in einer Spezialtasche aus Baumwollstoff mit Reißverschluß am Leib trug. Seine eigentliche Reisetasche hatte schon bessere Tage gekannt. Ihre rötlichen Gobelinstickereien waren inzwischen abgeschabt und grau, etliche Nähte geplatzt, die Henkel brüchig. Trotzdem war er stolz auf das Ding. Eine neugierige Schäferin beugte sich über einen schlafenden Hirten – auf der Vorderseite. Auf der Rückseite war die Schäferin selbst entschlafen. Die Tasche machte ihn glauben, er sei ein reisender Held aus einer glorreichen früheren Zeit und habe mit den Touristen, die sonst unterwegs waren, nicht das geringste zu tun.

Ein echtes Abenteuer war sie gewesen, seine Ankunft in der tropischen Welt. Spätabends war er auf dem kleinen Flughafen von Pucallpa gelandet, der den Namen eines peruanischen Capitán trug. Kaum betrat er das Treppchen, um die Propellermaschine zu verlassen, legte sich die feuchtschwüle Tropennacht wie ein erstickendes Tuch um seinen Körper. Die ersten Atemzüge waren ungewohnt dick und warm. Millionen von Insekten umschwirrten die Scheinwerfer, die an Gerüsten auf dem Dach der Empfangshalle montiert waren und die Landebahn von hoch oben bestrahlten. Ein Gesirr und Gezisch lag in der Luft, Gezisch mit winzigen Rauchschwaden, von den Insekten erzeugt, die an den heißen Strahlern verbrannten. Richard wußte, daß in den Tropen unvorstellbare Massen von Insekten lebten, jetzt sah er zum ersten Mal solche Massen im gleißenden Kunstlicht einer Tropennacht, war davon fasziniert und erschreckt.

Das Hotel hatte ihm sofort gefallen. Man betrat es durch Schwingtüren wie einen amerikanischen Saloon. Er hatte sich als Cowboy gefühlt, als er seine Schritte auf dem Holzboden knarren hörte und die kostbare Tasche neben der Rezeption, die zugleich eine Bar war, auf einen Hocker stellte. Müde Typen hingen herum und spielten Domino, hoben die Köpfe kaum, um ihn zu beobachten. Kakerlaken gab es bestimmt, aber offenbar waren sie zu schüchtern, um sich zu zeigen, als er das Licht im Zimmer anknipste. Ein hohes, dunkles Bett aus Kolonialtagen erwartete ihn, von der Decke hing das obligate Moskitonetz.

Zum Frühstück wurde ein buttriger Maniokbrei mit gebratenen Bananen serviert, dazu ein ebenholzschwarzer Kaffee aus einer grauweiß gesprenkelten Blechtasse, die er sogleich ins Herz schloß und am liebsten mit einer Schnur an seine Tasche gehängt hätte. Als die Türen vom Saloon aufschwangen, sah er niedere Häuserzeilen, darüber einen bleigrauen, tief herabhängenden Himmel, durchsetzt von rötlichen Staubwolken, sah kreiselnde Windböen, die Staub von den gestampften Lehmwegen aufrührten. Das Hotel lag an der geteerten Hauptstraße, die hinab zum Fluß führte.

Am Flußufer hatten Frachtboote festgemacht. Am Ladeplatz trugen halbnackte Träger Körbe und prall gefüllte Säcke auf den Schultern, in zwei geordneten Marschkolonnen entluden und beluden sie die Schiffe, dazwischen wimmelten Passagiere, die in die Boote drängten oder ihnen soeben entstiegen waren. Richard konnte gar nicht anders, als diesen Anblick mit Szenen aus Hollywoodfilmen zu vergleichen, in denen römische oder ägyptische Sklaven das Geschäft der Mühseligen und Beladenen verrichteten, allerdings waren in diesen Filmen die Gewänder meistens weiß, während bei den Männern hier das wenige, das sie am Leib trugen, in allen Farben leuchtete. Auch waren die Männer stämmiger und kleiner. Indios aus dem peruanischen Dschungel arbeiteten hart am Ufer des Rio Ucayali.

Bevor er sich dem großen Fluß überließ, wollte Richard die Nebenarme des Ucayali erkunden. Zu diesem Zweck wurde er mit dem Besitzer eines hölzernen Kahns handelseinig, der ihn herumrudern sollte. Und so kam er anderntags in den Genuß einer kleinen Fahrt, die durch Flußschlingen führte, vorbei an Wäldchen mit Algarrobosträuchern, vorbei an Totwässern, die faulig rochen und über die eine grünfleischige Pflanzenschicht gebreitet lag, als müßten darunter schwerwiegende Geheimnisse verdeckt bleiben. In manch einem der toten Arme steckte ein Kahn fest, der von den Besitzern verlassen worden war. Vielleicht waren die Kahnfahrer von den Pflanzen erstickt worden und erzählten da unten mit körperlosen Stimmen, mehr ein Gemurmel denn ein Sprechen, ihre todtraurigen Geschichten.

Traumentflogene Schmetterlinge gaukelten heran, riesige, träge Segler, azurblau, karmesinrot, in flammendem Orange, oder Winzlinge, zitronengelb und apfelgrün gescheckt. Eine dichte Wolke von Mücken begleitete das Boot, dem Fährmann schienen sie nichts anzuhaben, aber in Richards Fleisch stachen sie erbarmungslos, obwohl er sich reichlich mit Mittelchen eingeschmiert hatte, keineswegs einladend, sondern abscheulich roch. Der Fährmann war ein gelassen beobachtender Mensch, der sich jeden Kommentars enthielt, wenn Richard wie ein Wilder um sich schlug, um das Geziefer zu verscheuchen, bis er sich endlich in sein Schicksal ergab. Glucksen und Wassergehüpf von Tierchen, die von Seerosen- und treibenden Palmblättern sprangen, begleiteten die Fahrt. Diese

Gewässer schienen von Viechern förmlich zu brodeln. Das lebte und schmatzte und gurgelte, flog und schwamm und hüpfte in einem fort. Krokodile, auf die er gehofft hatte, blieben allerdings im Verborgenen. Statt dessen wurde die murmelnde Stille von Papageiengezeter durchbrochen: Geschwader von geärgerten Vögeln mit grünblauen Brustlätzen stiegen von den Bäumen auf.

In der Nacht lag Richard mit rot geschwollenen Beinen, einem zerkratzten Hals, zerkratzten Unterarmen im Bett, er fluchte und wälzte sich herum, kratzte und kratzte, obwohl er sich das zum hundertsten Mal verbot, und fand keinen Schlaf. Am Morgen saß ein ramponierter Westernheld vor seinem Maniokbrei und zweifelte, ob er die große Flußfahrt wirklich unternehmen sollte.

Wenige Stunden später lag er in der Hängematte eines kleinen Frachtschiffs, das Kurs auf Iquitos nahm. Nein, bequem war es nicht. Es war die Hölle. Die Matten waren dicht an dicht aufgespannt, er hatte sich keinen Außenplatz sichern können, lag Gesäß an Gesäß mit einem wildfremden Mann; die Latrinen waren derart versaut, daß er beschloß, Essen und Trinken einzustellen. Nachdem sein Entsetzen über die Zumutung so ungewohnter körperlicher Nähe einer fatalistischen Gemütsruhe gewichen war, wurden gute nachbarschaftliche Beziehungen hergestellt, Bananen und Fladen herumgereicht, Karten gespielt, gelacht und geschwätzt.

Richard hatte sein Spanisch in Argentinien gelernt, manche Ausdrücke, die er benutzte, riefen Heiterkeit hervor. Ernst wurden die Mienen seiner beiden Mattennachbarn, stämmiger Kleinhändler mittleren Alters, die mit Säcken voller Bohnen und Süßkartoffeln zu den am Fluß gelegenen Marktflecken unterwegs waren, sobald sie Richard über Deutschland ausfragten. Deutschland flößte ihnen Respekt ein. Von der Teilung in Ost und West hatten sie noch nie gehört. Hitler hielten sie für einen großen Mann, einen echten *cojudo* mit Eiern groß wie Stiereier, der sich nichts gefallen ließ; einer glaubte gar, der Diktator sei noch am Leben. Trotz der herzhaften Beziehungen, die von Matte zu Matte angeknüpft worden waren, war Richard froh, als sie nach einigen Tagen in Iquitos anlangten und er die Bequemlichkeit einer Badewanne genoß, in einem Hotel, das Jahrzehnte zuvor das verschwenderische Domizil eines Kautschukbarons gewesen war.

Zwei Tage später, nachdem er das ehemals wegen des Kautschukhandels wie ein Pilz aus dem Boden geschossene und dann rasch wieder verblühte Städtchen erkundet hatte, befand er sich endlich auf dem Strom, der hier, am Zusammenfluß des Rio Ucayali und des Rio Marañón, als Amazonas begann. Er hätte es besser nicht treffen können. Auf dem brasilianischen Frachter, dessen himmelblauer Anstrich mit den grünen Aufbauten ihm schon im Hafen verlockend erschienen war, hatte er sich die vorderste Hängematte verschaffen können. Da hing er nun für sich im Freien und ließ den lauen Fahrtwind über seinen Körper streichen. Der Wind war gerade stark genug, daß er es den Mücken unmöglich machte, sich darin zu halten, und er war zu schwach, um auf Dauer unangenehm zu werden. Eine wahre Erlösung! Wenn er sich auf das konzentrierte, was vor seinen Augen lag, konnte er sich einbilden, er sei ganz allein auf dem Schiff, und dieses Schiff würde wie von selbst nach seinen Wünschen gelenkt.

Auf dem Amazonas gab es ein dunstiges Einerlei, unterbrochen nur von dramatischen Sonnenuntergängen und milden Sonnenaufgängen, und Richard genoß die im Gleichmaß abrollenden Tage, die nichts, rein gar nichts von ihm forderten.

Von den Dschungelgeschichten, die er gierig gelesen hatte, wußte er, daß der Amazonas an manchen Stellen sich verbreiterte wie ein Meer, und genau so war es, allerdings hatte Richard ein braungraues Meer vor sich, kein blaues; weithin entzogen sich die Ufer den Blicken. Dann rückten die Ufer heran, und der Amazonas sah wieder aus wie ein Fluß. Daß er ein mächtiger Strom war, daran ließ der Amazonas nirgendwo einen Zweifel. Ganze Baumstämme trieben in ihm, er schleppte sie fort, als wären es Streichhölzer.

Aus den Tagen waren Wochen geworden, aus den Wochen ein Monat und mehr, Richard hatte den Überblick über die vorbeistreichenden Kalendertage längst verloren. Einen gleichförmigen Tag nach dem anderen in einer Hängematte zu verbringen, die so bequem war wie nichts sonst auf der Welt, löste einen merkwürdigen Schwebezustand aus. Ufernah, uferfern, seine Gedanken segelten in vollendeter Freiheit dahin, er döste und wachte im Wechsel, sah den Mond, sah die Sterne, weidete sich an den Wolken, die den Mond bedeckten und ihn wieder freilegten, sah diese Phänomene mit einer solchen Eindringlichkeit, als würde sein eigener, wohlig geborgener Körper mit den Himmelsmächten in geheimer Korrespondenz stehen. Ganz so, wie der Professor es einmal ausgedrückt hatte – als Kind sei man ganz und gar in den Genuß der Weltgunst gekommen; die Welt war einmal so für das Kind dagewesen, daß sie sich vor ihm verneigte und mit ihm weinte und Eskorte auf allen seinen Wegen war.

Richard, der zarte Richard mit den feinen blonden

Haaren, hatte die Weltgunst aber bald verloren und war übergewechselt in einen Zustand, in dem er seine Eltern haßte und nicht recht wußte, wohin mit sich selbst. Und dieses leidige Nichtwissen hatte ihn jahrelang begleitet, bis er es später glänzenden Auges seinem Professor angetragen hatte, damit der ihm sage, wozu er in der Welt sei, wobei der Professor von seinen Nöten nicht das Geringste bemerkt, ja, wohl nur in einem entlegenen Gedächtniswinkel registriert hatte, daß es ihn überhaupt gab. Aus dem erbärmlichen Richard, der seinen Jammer mehr und mehr im Alkohol ersäuft hatte, war nun ein bedeutendes Wesen geworden, das auf der Mittellinie der Erde dahintrieb und mit den Toten in ebenso flüssigen Gedankenplaudereien in Verbindung trat wie mit den zungenfertigen Panthern seiner Kindheit.

Er fühlte sich ins Glück gerückt. Lau und warm, niemals heiß oder brennend war das Wetter, manchmal ging ein warmer Regen auf ihn nieder, den er ebenso genoß wie das anschließende Trockenwerden. Spektakulär waren die Sonnenauf- und Sonnenuntergänge. Rote Feuerzungen loderten abends über einer kompakten schwarzen Waldmasse, roséfarbener Frühnebel hüllte den scheu sich zeigenden Zartwald in ein morgendliches Negligé. Am meisten verblüffte ihn der schlagartig einsetzende Chor der Frösche und Kröten. Kaum waren die letzten Sonnenstrahlen vom Wasser zurückgewichen, ging auf die Sekunde genau dieser Chor los. Laut! Aus abertausend Froschkehlen wurde gequakt und geknarrt und gequarrt, was das Zeug hielt, einige Minuten lang, und genauso abrupt, wie der Lärm losgebrochen war, herrschte wieder Stille, in die hinein sich nur der vertraute Motor des Schiffes zu hören gab.

Alles Unangenehme rückte in weite Ferne. Die Bundesrepublik, dies krampfige kleine Land mit seinen krampfigen Politikern, den krampfigen Terroristen, den krampfigen Feministinnen, war bloß komisch, ein Ländchen, das sich wichtig nahm, weiter nichts. Zu Richards Heiterkeit trug der Kapitän bei, der ihn üppig mit Marihuana versorgte und überhaupt ein höchst angenehmer Gesellschafter war. Es war einfach, sich mit ihm zu verständigen. Richard sprach in seinem argentinischen Spanisch, der Kapitän antwortete in einem spanisch-portugiesischen Mischmasch, welchem er durch Augenrollen, Brauenzusammenziehen sowie unter Zuhilfenahme flinker Hände, mit denen er Luftmalerei betrieb, deutenden Nachdruck verlieh.

Richard tat gar nichts, er lag einfach nur da, selbst dem Lesen, das sonst immer sein Tröster gewesen war, fühlte er sich nicht mehr gewachsen; *Sein und Zeit* schlummerte in der Tiefe seiner Tasche. Morgens erwachte er mit einem großen Plan, den der gleichgültige Strom in ein schwimmendes Ungefähr trug und in tausend glitzernde Tröpfchen zerlöste, was kein Schade war, denn Richard wachte am nächsten Morgen mit einem ebenso herrlichen anderen Plan wieder auf.

Nächtliche Begegnung

Eines Abends in der Dämmerung steuerte der Frachter das Ufer an, obwohl von weitem keine Siedlung zu erkennen war. Doch siehe da, es gab einen Landungssteg. Der Froschlärm war gerade mit den letzten Strahlen der Sonne erloschen, von den Bäumen, von denen einige tief ins Wasser hineinragten, flogen Vögel auf. Jetzt erkannte Richard, daß es sich doch um eine kleine Siedlung handelte, nicht aus festen Häusern, sondern aus Hütten und Blockhäusern zusammengewürfelt, die meisten von ihnen standen auf Pfählen. Der Kapitän bedeutete ihm, daß sie hier übernachten müßten, warum, sagte er nicht, aber es sei für alles gesorgt, Richard könne in einer der Hütten unterkommen.

Es war eine Siedlung von Holzfällern. Halbnackte Träger kletterten über ein dünnes Brett an Deck und luden sich Säcke auf die Schultern, mit denen sie in einer geordneten Marschkolonne, von deren schweren Tritten das Brett sich bedrohlich bog, den Rückweg antraten. In der Siedlung brannten schon einige Karbidlampen. Es gab Weiße und Indianer, indianische Frauen kochten an offenen Feuerstellen. Richard wurde vom Kapitän in eine kleine Hütte gewiesen, die ebenfalls auf Pfählen stand. Ein, was die Reinheit der Fingernägel anlangte, nicht ganz vertrauenswürdiges junges Mädchen servierte ihm das Essen in einem Blechteller, Bohnen mit ein bißchen Fleisch, dazu reichte sie ihm mit einem schüchternen Lächeln etwas Wasser und einen schwarzen Kaffee in einem Blechbecher. Das Lächeln schwebte noch lange in der Hütte, nachdem sich das Mädchen längst wieder zurückgezogen hatte, und Richard ertappte sich dabei, daß er wieder und wieder zurücklächelte, allerdings nur für die hölzerne Wand, an der Bilder mit Badeschönheiten aus einer Illustrierten hingen.

Er entschloß sich zu einem Abendspaziergang, der ihn auf eine Zigarettenlänge um die Siedlung führte; allzu viel war dabei nicht zu erkennen, da es schon dunkel war und die wenigen Lampen nur die Eingänge der Hütten beleuchteten. Letzte Wasservögel, die auf ihre Schlafnester zusteuerten, durchzogen als schwarze Klumpen das ufernahe Gewässer. Als er wieder vor seiner Hütte landete, hörte er es oben rumoren. Eine schwärzliche Affengestalt saß auf dem Dach und ruderte mit den langen Armen, worin Richard eine Einladung erblickte, er solle doch bitte zu ihr aufs Dach klettern. Von hinten zupfte etwas an seinen Hosenbeinen; als er sich umwandte, erschrak er nicht wenig, da er einen Ameisenbären vor sich hatte, der an ihm emporstieg, indem er die Vorderkrallen in Richards Hose hängte und mit der langen Schnauze Taschen, Falten und Höhlungen seiner Kleider absuchte. Daß der Bär freundlich gesonnen war, merkte Richard schnell, trotzdem blieb es unheimlich, von einem ihm bisher gänzlich unbekannten Tier einer Leibesvisitation unterzogen zu werden. Abrupt wandte sich der Bär von ihm ab und trollte sich in die Nacht. Auch der Affe war verschwunden. Ein verwunderter Richard drückte die Zigarette mit der Schuhspitze in den Sand und erstieg das Treppchen zu seiner Hütte.

Er schätzte sich glücklich, weil darin eine Hängematte aufgehängt war und er nicht auf ebener Erde schlafen mußte. An einem Deckenhaken war ein Moskitonetz befestigt, das sich wie ein Zelt um die Matte breiten ließ. Er löschte das Licht und legte sich hin. Nicht mehr daran gewöhnt, in einem Gehäus zu liegen, konnte er ewig nicht einschlafen; er vermißte die Bewegung des Schiffes, vermißte das Brummen des Motors und den Fahrtwind.

Etwas wischte unter ihm durch, es mußte unter dem Boden der Hütte sein, zwischen den Pfählen. Richard horchte mit gespitzten Ohren – da: das Wischen wiederholte sich. Ein Tier streifte umher und bog im Streifen die Zweige, dazu tönten merkwürdige Rufe aus der Ferne, die er nicht zuordnen konnte. In unregelmäßigen Abständen war das Wischen zu hören. Um sich zu beruhigen, mußte Richard dem Tier, das sich den Hüttenuntergrund als Platz erkoren hatte, von dem aus es in die Nacht streunte und zu dem es immer wieder zurückkehrte, einen Namen und eine Gestalt geben. Er verfiel auf den sprechenden Panther seiner Kindheit, der zwar im Moment schweigend herumschlich, weil ihm die Meder, Elamiter und Kyrener fehlten, aber vielleicht konnte Richard, wenn er sich aus seiner Matte beugte und durch die Bodenritzen das Wort an den hingekauerten Panther richtete, eine kleine Konversation mit ihm anknüpfen?

Weit, weit entfernt, aus seltsamer Tiefe gehoben und doch nah, hörte er einen Ton, der ihm durch Mark und Bein ging. Dunkel, wie aus einem Horn geblasen, mal schwächer, mal stärker, eine Drohung, die aus der Nacht auf ihn zurückte, beim Heranrücken vielleicht durch dicke Baumstämme gebremst wurde, die den Schall ein wenig von seiner Hütte ablenkten, um dann mit unverminderter Macht wieder direkt darauf zuzuhalten. Richard lag da wie gesteift. Etwas unvorstellbar Grauenhaftes, für das er keinen Namen wußte, kam ihn holen. Schweiß brach ihm aus allen Poren, er fühlte, wie seine Hände zitterten. Mit weit aufgerissenen Augen lag er allein im Dunkel der Nacht, unfähig, aufzustehen und die Lampe anzuzünden. Jäh fiel ihm ein Traum seiner Kindheit ein, aus dem er jedesmal schreiend erwacht war – in ein friedliches Gebirgsdorf mit Holzhäusern, auf deren Dächern der Schnee lag, kam ein Hirte mit einer Herde Mammuts gezogen, riesigen Tieren, ein jedes größer als die Häuser, an denen sie auf ihrem Pfad vorbeischritten. Der Hirte war winzig neben ihnen und seine zwei Hütehunde auch. Da stürzte das kleinste Mammut, das am Ende der Reihe gegangen war, und blieb liegen im Schnee. Der Hirte fluchte und stieß ihm die Stiefel in den Bauch, aber davon war es nicht hochzukriegen. Er befahl den Hunden, anzugreifen, und sie bissen überall in sein Fell, doch blieben die Bisse wirkungslos, weil die Hunde so klein waren. Da packte den Hirten die Wut, wie aus dem Nichts holte er eine Peitsche hervor und hieb damit so erbarmungslos auf einen der Hunde ein, daß er ihm das Rückgrat brach. Das gellende Geschrei des Hundes füllte das Tal, füllte die Ohren des kleinen Richard, daß er laut schreiend erwachte.

Obwohl etwas in ihm wußte, daß die Szene aus der Erinnerung aufgetaucht war, gewann sie solche Macht über ihn, als hätte er sie gerade von neuem geträumt – mit einem Unterschied: das größte der Mammuts, ein riesiges braunzottiges Tier, wandte den Kopf zu ihm her und sah ihn aus kleinen Augen an, dann hob es den Kopf mit den langen gebogenen Stoßzähnen in die Höhe, und der schreckliche Ton, wie von einem Horn geblasen, schallte durch das Tal.

Da unten mußte noch immer der Panther liegen. Richard klammerte sich an den Gedanken, daß in dem sprachmächtigen Tier die Rettung aufgehoben sei, darum beugte sich sein traumverhangener Kopf aus der Matte und suchte Kontakt.

Zunächst tat sich nichts, selbst das Wischen blieb aus. Als aber Richard zum zweiten Mal flehentlich zu dem Panther hinunterflüsterte, drang eine dunkle, wiewohl klar zu verstehende Stimme zu ihm herauf, die sagte: Ich höre.

Zwei, drei Sekunden hielt Richard den Atem an, dann erfüllte ein Brausen seinen Kopf, und die Worte brachen nur so aus ihm heraus. Alles, was ihn je bedrängt hatte, alles, was er je hatte wissen wollen, wozu da, woher gekommen, wohin bestimmt zu gehen, wieso leiden, schuldhaft, schuldlos, gestraft, ungestraft oder erlöst, von wem, weshalb, wofür; alles, alles, alles brach sich Bahn, und von unten drang Gelächter herauf, das sich ein wenig raunzig anhörte, aber einmal in Fahrt, war Richard nicht mehr zu bremsen und vertraute der Bodenritze den ganzen Salat seiner Kümmernisse und Fragen an, und siehe da, im Laufe der Nacht, die eine kleine Ewigkeit währte, wurden die Dinge sortiert, Naturgeschichte, Menschengeschichte, Theodizee, es wurde habhaft gefragt und wie mit Reißzähnen präzis geantwortet, wobei die Konversation mit den verschlungenen Worten des Panthers endete, der Dschungel sei bald kein Dschungel mehr, Richard werde ja sehen.

Als das Gespräch erlahmt war, lehnte sich Richard in seine Matte zurück, doch bevor der Schlaf ihn weitertrug, gaukelte noch eine Szene in seinem Kopf herum, die ihn nach Münster in die Flure der Universität führte, wo Richard die Tür zu Blumenbergs Sprechzimmer aufstieß. Ohne lang zu fackeln, setzte er sich dem Professor gegenüber an dessen Schreibtisch und legte los. Die Augen des Professors wurden groß und größer, Erstaunen malte sich in ihnen, und mit diesem herrlichen Bild im Kopf schlief Richard, als der Morgen dämmerte, wieder ein, schlief wohlig und tief, wie er nie zuvor geschlafen hatte.

Die Tagesgeschäfte waren längst im Gang, als er erwachte. Zum Frühstück gab es den vertrauten gebutterten Maniokbrei, der ihm diesmal von einer weißhaarigen Frau gebracht wurde, deren Mund eine einzige Runzel war. Der Frachter sollte erst gegen Mittag abfahren, so hatte Richard noch Zeit für einen Spaziergang. Er folgte einem breiten Weg, der aus der Siedlung herausführte, und war erst fünf Minuten gegangen, da eröffnete sich vor ihm ein freies Feld, groß, riesengroß sogar und ziemlich quadratisch, eine kahle Fläche, die in den Wald hineingefräst worden war. Auf der Fläche regten sich keine jungen Triebe, da war nichts außer Sand und kümmerlichem Gras. Der Anblick war bestürzend. Alle Kräfte, die er während der Nacht gesammelt hatte, wurden ihm weggenommen. Richard machte kehrt und hatte nur noch den einen Wunsch: zurück in die Hängematte und weiterfahren!

Manaus

Sobald er wieder dort lag, wo er hingewollt hatte, hellte sich sein Gemüt auf. Im lauen Fahrtwind dahintreibend, fiel es ihm leicht, sich in das nächtliche Abenteuer zurückzuversetzen, kostbar, immer kostbarer kam es ihm vor, weil inzwischen die Angst fehlte, die es ursprünglich begleitet hatte.

Zu seiner flirrenden Stimmung trug ein Mädchen bei. Höchstens vierzehn Jahre war es alt und so schön, daß Richard manchmal die Augen schließen mußte, weil er nicht glauben konnte, daß es einen so schönen Menschen überhaupt gab. Sie waren miteinander bekannt geworden, als sich das Mädchen an den Bug gestellt hatte, um ins aufgewühlte Wasser zu sehen. Es hatte nicht lang gedauert, da sprach sie ihn an, er selbst hätte sich das niemals getraut. Mit einer natürlichen Bewegung, gegen die es nicht den kleinsten Einwand gab, zog sie einen herrenlosen Schemel heran und setzte sich neben seine Matte. Richard richtete sich etwas auf, er kam sich plötzlich wie in einem Krankenbett vor, mit einer Krankenschwester neben sich, die ihn aufmerksam betrachtete.

Es begann alles so leicht. Richard mußte gar nichts tun. María kam mehrmals am Tag, manchmal auch nach Einbruch der Dunkelheit, und leistete ihm Gesellschaft. Offenbar reiste sie ohne Begleitung. Noch nie war ihm ein

Wesen begegnet, mit dem er sich auf so heitere und mühelose Weise verstand. All die Zahnrädchen, die sich sonst bei ihm in Bewegung setzten, wenn er einer anziehenden Frau begegnete, blieben still, er trug kein Verlangen danach, aufzutrumpfen oder eine seiner üblichen Komödien aufzuführen, er wartete einfach, bis sie kam, freute sich, wenn sie kam, und fühlte sich von jeder Begegnung beglückt, als hätte ihn eine schmale Göttin aufgesucht, um Tautropfen auf seine Stirn zu träufeln.

Natürlich, sie war noch sehr, sehr jung. Aber hatte nicht Novalis ein blutjunges Mädchen begehrt, und war nicht der bucklige Lichtenberg mit einem Mädchen glücklich geworden, das um Jahrzehnte jünger war als er selbst? Zwischen ihnen war der Altersabstand gar nicht so groß. Höchstens elf, zwölf Jahre, vielleicht dreizehn. Auch war der Abstand erheblich kleiner als der zwischen Humbert Humbert und Lolita. Der Vorteil seiner Lolita bestand außerdem darin, daß sie kein zickiges, verkitschtes Mittelklassegirl aus dem amerikanischen Norden war; umgekehrt hatte er sich keiner der unsauberen Strategien Humbert Humberts bedient, um sich an sie heranzupirschen. Er konnte keinerlei Schande in ihrem keimenden Verhältnis erblicken, er unternahm nichts, gar nichts, um María anzufassen. Mehrere Male schon hatte sie ihn zum Abschied auf die Stirn geküßt.

Sie war Brasilianerin und fand Vergnügen daran, ihm Worte in ihrer weichen Sprache beizubringen, die Richard wie ein braver Schüler geduldig wiederholte. Die Anmut, wie sie den Worten mit Blicken aus großen ernsten Augen Nachdruck verlieh und mit eifrigen Fingerchen deren Bedeutung untermalte, war einfach hinreißend. O ja, er war verliebt – auf eine chimärische Weise,

die nichts, rein gar nichts von ihm verlangte, da eine voll-
endete Passivität ihn in seiner Hängematte hielt.

Und doch entwickelten sich in ihm allmählich Pläne; er
konnte sich nicht enthalten, Wege und Möglichkeiten
gedanklich hin- und herzuwälzen, die es ihm erlaubten,
María nach Europa mitzunehmen. Es war schwer, ein
Glück zu genießen im Wissen darum, daß es bald zu Ende
gehen würde. Sie gehörte schon wie selbstverständlich
zu ihm, unmöglich, sie nie wiederzusehen, wobei ihm
schmerzlich zu Bewußtsein kam, daß er die nächsten
Jahre nicht in einer Hängematte würde verbringen können und wahrscheinlich auch nicht in Brasilien. Sobald
sein Pläneschmieden gestaltreichere Züge annahm und
ihm in der Phantasie ein aktives Handeln abverlangt wurde, befiel ihn ein Unbehagen. Bei dem Gedanken, María
mit seinen Eltern in Paderborn bekannt zu machen, verließen ihn die schwungvollen Geister, die ihn beflügelten.

Wie er in Erfahrung brachte, lebte Marías Familie in
Belém und eine Tante von ihr in Manaus. In Manaus würde sie mit ihm das Schiff verlassen. Er hatte sich vorgenommen, eine Woche in Manaus zu verbringen. Die am
Rio Negro gelegene Stadt, von der aus Fitzcarraldo zu
seinem irrwitzigen Schiffsabenteuer aufgebrochen war,
zog ihn von allen Städten Brasiliens am meisten an. Wie
es dort mit ihm und María weitergehen würde, stand in
den Sternen. Die letzten Tage in der Hängematte verran-
nen in leiser Wehmut und mit leisen Befürchtungen.

Als sie den Amazonas verließen, um wenige Kilometer
den Rio Negro aufwärts zu fahren, wurde es auf dem
Schiff unruhig. Die Leute brachten ihre Habseligkeiten
zusammen oder standen laut schwatzend an der Reling.
Es war soweit. Seine Tasche war schnell gepackt.

Wie nah das Schöne am Schrecklichen siedelt, merkte er, als das Schiff in Manaus anlangte und er sich notgedrungen wieder auf zwei Beine gestellt sah. Die Stadt erbrach ihren Müll die Uferböschung hinab in den Fluß. Auf dem Müll kletterten überall Menschen herum. María hatte sich angeboten, ihn zu einem Hotel zu begleiten; er wollte sich in der Innenstadt, in der Nähe des Teatro Amazonas und des Palácio da Justiça, eines suchen. So leicht kam er aber nicht weg. Vom Kapitän wurde er schwungvoll verabschiedet. Sie verließen als letzte Passagiere das Schiff.

Was ihn am Hafen erwartete, schockierte ihn. Als sich das übliche Gewimmel ein wenig verzogen hatte, sah er Menschen herumhocken, auf Brettchen mit Rädern sitzen, auf Krücken stehen, mit entsetzlichen Krankheiten geschlagen, sie hatten Schwären und Beulen und verstümmelte Glieder, so grauenerregend, daß Richard die Augen von ihnen fortwenden mußte. Weißgott, er war inzwischen durch viele arme Länder gereist, war Zeuge geworden, wie an der Grenze bolivianische Landarbeiter von den Argentiniern auf rohe Weise, wie Vieh, mit Fußtritten traktiert und zu Desinfektionszwecken mit DDT besprüht, ja, regelrecht damit überschüttet wurden, er war stundenlang auf Lastwagen herumgefahren zusammen mit bolivianischen Marktfrauen, die so schwere Säcke dabeihatten, daß er sie selbst nicht heben konnte, sie aber schon, und er hatte eine alte Bettlerin sterben sehen, in der Avenida Monroe, in der er in Buenos Aires gewohnt hatte, aber das Elend, das ihm hier entgegentrat, war greller. María, die nicht verstand, warum er hilflos stehengeblieben war, zupfte ihn am Ärmel und führte ihn fort. In seiner Verwirrung hatte er den berühmten *Mercado,* einen Eisengerüstbau nach den Plänen von Gustave Eiffel, der als Markthalle diente, gar nicht wahrgenommen.

Auf dem Fußmarsch weg vom Hafen beruhigte er sich ein wenig. Mehr dem Inneren zu, als sie die baufälligen Hütten und einige grobe Neubauten hinter sich gelassen hatten, wurde die Stadt immer prächtiger. Es war nicht weiter schwer, ein passables Hotel zu finden, er fand sogar ein schönes, an seinem Unterbau glänzten die floral gemusterten Kacheln, mit denen die Portugiesen ihre reichen Häuser geschmückt hatten. Wahrscheinlich waren Kacheln in dem tropischen Klima eine beständigere Außenhülle als Holz oder ein gewöhnlicher Verputz.

María versprach, am nächsten Nachmittag vorbeizukommen und ihm die Stadt zu zeigen. Im Moment war für ihn alles zu neu, als daß er sich Sorgen hätte machen können, ob sie wiederkäme oder nicht. Mit seinem Hotelzimmer war er sehr zufrieden; es hatte einen Balkon auf eisernen Gerüsten, von dem man auf einen viereckigen Platz mit zwei mächtigen Palmen blickte. Trotzdem fühlte er sich in dem Zimmer wie eingesperrt, stickig war's darin, nach wenigen Minuten ging er nach draußen, um sich vor ein Café zu setzen und an der freien Luft in Manaus heimisch zu werden.

Obwohl er kein Opernfreund war, hätte er liebend gern eine Darbietung im Teatro Amazonas besucht – allein die Vorstellung, sich in einer kleinen Stadt mitten im Urwald eine Oper anzuhören, war aufregend –, aber das berühmte, 1896 erbaute Theater war geschlossen, sein Inneres mitsamt dem opulenten Ballsaal wohl ziemlich baufällig, termitenzernagt; schon seit Jahrzehnten fanden hier keine glanzvollen Aufführungen mehr statt.

Am Abend aß er in einem kleinen Lokal eine Feijoada

aus schwarzen Bohnen mit pfefferscharfen Wurststücken und einer geballten Ladung Knoblauch. Danach trank er zu viele Caipirinhas, die ihm nicht bekamen. Er streunte noch ein bißchen durch die Straßen, kam sich mehr und mehr verlassen vor und lag dann ziemlich früh, mit schwerem Magen, im Bett und konnte nicht einschlafen. Aus Verzweiflung eher denn aus Neigung kramte er *Sein und Zeit* aus seiner Tasche, schlug darin, weil er sich schon in etlichen Anläufen mit dem Anfang abgequält und kaum etwas verstanden hatte, ein späteres Kapitel auf, dessen Überschrift ihm erlaubte, sie auf seine Situation zu münzen: *Die Grundbefindlichkeit der Angst als eine ausgezeichnete Erschlossenheit des Daseins,* und blieb an einer Stelle hängen, die auf ihn zuzutreffen schien, Stelle, an der es hieß, *daß die Flucht des Daseins Flucht vor ihm selbst sei,* aber *im Wovor der Flucht komme das Dasein gerade hinter ihm her.* Richard ließ das Buch auf seinen Bauch sinken – unzweifelhaft, etwas kam hinter ihm her, etwas zutiefst Angsterregendes kam hinter ihm her. Aber die Angst war diffus. Wie Heidegger sich ausdrückte, *fungierte nichts von dem, was innerhalb der Welt zuhanden und vorhanden war, als das, wovor die Angst sich ängstete; die innerweltliche Bewandtnisganzheit des Zuhandenen und Vorhandenen war für die Angst ohne Belang. Sie sank in sich zusammen.*

Er war tief in sein durchhängendes Bett eingesunken. *Sein und Zeit* hatte er mitgeschleppt in der Hoffnung, in anders farbigen Ländern, unter einer anders glühenden Sonne, würde sich ihm der Sinn des rätselvollen Buches wie von selbst erschließen. Bisher war ihm das nicht gelungen, und so hatte er das schwerste Stück seines Gepäcks eher wie einen nutzlosen Stein herumgetragen.

Jetzt, zum ersten Mal, hatte ihn eine Stelle in diesem Buch gepackt, ihn angesprochen, als wäre sie eigens für ihn verfaßt worden. Aus dem Buch entstieg etwas ins nicht mehr Geheure. Böse Gedankenfinger umtasteten sein Herz.

Nach einer schweren Nacht, in der die dunkle Bohnenmahlzeit eine düstere Verbindung mit seinen Ängsten einging, erwachte er am nächsten Morgen zerschlagen. Zehn Uhr fünf. Das Wetter war wie immer. Feucht. Warm. Freundlich.

Er bekam Lust, mit María die berühmten Seerosen auf der anderen Seite des schwärzlichen Flußes anzusteuern. In einem Reiseführer hatte er tablettrunde Riesenblätter gesehen, von einer Größe und Stärke, daß ein mageres Knäblein wohlbehalten darin schlummern konnte, ohne unterzugehen. Lufterfüllte Zellen erlaubten der Vitória Regia, sich schwimmend zu erhalten. Einkerbungen am hochgewölbten Rand ließen das Regenwasser ablaufen. Vielleicht würden María und ihm von den Seerosen Winke zugetragen, welches gemeinsame Schicksal ihnen bestimmt war. Die an Wundern reiche Natur konnte ihnen das Wahrscheinliche im Unwahrscheinlichen offenbaren, wer weiß, vielleicht bekämen sie Lust, auf einem Seerosenblatt zu wohnen.

Den Vormittag über streunte er herum. Allmählich gefiel ihm die Stadt. Die portugiesischen Kolonialbauten waren außergewöhnlich, filigran und üppig zugleich. Was für eine Verschwendungssucht mitten im Dschungel! Es mußte unglaublich anstrengend gewesen sein, all die Bauteile hierher zu verfrachten. Zu der Zeit gab es in Manaus keine Industrie, die das Material für solche Prachtbauten hätte liefern können.

Auf der Veranda des Hotels wartete er auf María, gehüllt in tiefe Besorgnisse, was nun zu sagen und zu tun sei, entwarf Pläne, die er sofort wieder verwarf. Für seine Pläne hätte er sich selbst überwachsen müssen. Sie hätten die Tatkraft eines Riesen von ihm verlangt.

María kam pünktlich, was für eine Südamerikanerin außerordentlich war. Die Leute kamen meistens mindestens dreißig Minuten nach der vereinbarten Zeit.

Sie schien gehemmt. Begrüßte ihn nicht mit der Anmut, mit der sie ihm sonst die Hand auf die Stirn gelegt oder seine Hand ergriffen hatte. Wahrscheinlich ist sie befangen wie ich selbst, dachte Richard. Eine Weile gingen sie etwas verkrampft nebeneinander her; Richard überwand sich zu seinem Seerosenvorschlag, der mit einem kurzen Nicken als Bestätigung aufgenommen wurde.

Richard wunderte sich. Normalerweise hätte María einen solchen Vorschlag mit entzückendem Geplapper quittiert und ihm gleich rund um die Seerose neue Wörter beigebracht. Heute blieb sie erstaunlich wortkarg.

Sie war ihm einen halben Schritt voraus und ging Richtung Hafen, aber einen anderen Weg als den, den sie gekommen waren. Richard hatte seine Straßenkarte gar nicht mitgenommen, da ihn María führte. Die Gegend wurde ärmlicher, überall niedere Häuser mit halb verfallenen Anbauten, von denen die papageienbunten Anstriche abblätterten.

Verwundert blieb Richard stehen. In einem Hof hingen Fleischstücke an der Wäscheleine. In Salz eingelegtes Fleisch, das an der Sonne trocknete, wie María ihm versicherte, offenbar eine Spezialität der Region, von der er noch nie gehört hatte. Das hängende Salzfleisch wirkte auf ihn makaber, es verlangte ihn nicht unbedingt danach, die Speise, die man daraus bereitete, demnächst zu probieren. Bei den Regengüssen, die regelmäßig drohten, mußte das Fleisch unter Beobachtung stehen, immer wieder abgenommen und neu aufgehängt werden.

Ihre Tante wohne nicht weit von hier, erklärte María, sie kenne bestimmt einen guten Bootsmann, mit dem sie die Fahrt unternehmen könnten. Sie bogen um eine Ecke, hier herrschte nicht der übliche Betrieb von Leuten, die etwas zu besorgen hatten, die Straße wirkte ärmlich. Zwei junge Männer lehnten an einer Holzwand, die Hände unter die Achseln gesteckt, zwischen ihnen der offene Eingang zu einem Schuppen. Richard wurde mulmig zumute, er hätte gern die Straßenseite gewechselt, aber er vertraute auf María, die sich hier ja auskennen mußte. Sie blieb einen Schritt zurück, warum bleibt sie zurück, dachte er, sie hätte doch eher vorausgehen müssen, da lösten die Männer ihre Rücken von der Wand und traten ihm entgegen. Ein kompakter Kerl, kleiner als Richard, in dunkler Hose, dunklem Hemd, Sonnenbrille auf der breiten Nase, sprach ihn an. Richard verstand nicht, es klang nach einer groben Beschimpfung, die Wörter wurden bellend hervorgestoßen, er drehte sich nach María um, damit sie ihm helfe, aber sie war weiter zurückgewichen und wirkte wie nicht recht anwesend. Jetzt mischte sich auch der andere ein und tippte ihm aggressiv vor die Brust, ein größerer Bursche im Hawaiihemd, ein goldenes Kreuz an der Kette baumelte von seinem Hals – María, der Name fiel immer wieder, offenbar kannten die Burschen das Mädchen und wollten eine Bezahlung. Aber wofür?

Um sie zu besänftigen, probierte Richard einige spanische Sätze an ihnen aus, aber das hatte den falschen Effekt. Sie wurden noch wütender, aber gerade so, als hätten sie ihre Wut auf dem Theater einstudiert. Ihre erregten Stimmen wirkten auf Richard fast komisch; er faßte den Mann im Hawaiihemd am Arm, um ihn zu beruhigen, da wurde er in den Schuppen hineingestoßen, lag, eh er sich's versah, auf dem dreckigen Boden zwischen allerlei Gerümpel.

Beim Sturz hatte er sich die Hände aufgeschürft. Die Innenflächen brannten. Ich werde eine Blutvergiftung bekommen, dachte er. Dann war der Kerl im Hawaiihemd über ihm und fingerte an seinen Hüften herum. Richard packte der Zorn. So kläglich wollte er sich vor seinem Mädchen nicht geschlagen geben, so nicht. Er verpaßte dem Mann einen kräftigen Tritt, der taumelte rückwärts, und Richard kam wieder auf die Beine. Er keuchte und schwitzte. Vor dem offenen Schuppentor, lichtumflossen, stand María, die Füße einwärts gedreht, Hände unter den Bauch gekrampft. Lange konnte er diesen Anblick nicht begrübeln. Der schwarze Kompaktmann rannte auf ihn zu und stieß ihm ein Messer ins Herz. Wo ist die Sonnenbrille geblieben, dachte Richard, als er das Gesicht mit der fleischigen Nase so unbegreiflich nah vor sich sah. Der Ausdruck darin war nicht zornig, er wirkte methodisch, fachmännisch. Richard ging in die Knie, vom warmen Blut ganz naß sein Bauch, das fühlten seine Hände. So lange er konnte, schaute er zum offenen Tor hinaus. Im Lichtfraß stand sein Mädchen. Ob es? Er wehrte sich gegen den Gedanken und kippte zur Seite.

Nachzutragendes

Fast zwei Monate dauerte es, bis die Eltern Richards in Paderborn davon erfuhren, daß ihr Sohn in Manaus zu Tode gekommen war. Rasch war der Tote gefunden worden, ausgeraubt, ohne Papiere. Der Paß tauchte erst sechs Wochen später auf einer Müllkippe wieder auf. Vom Hotel aus wurde schon am nächsten Tag gemeldet, daß ein Gast fehlte, aber der fehlende Gast hatte sich mit so krakeliger Schrift eingetragen und der Portier es versäumt, seinen Paß einzubehalten, daß der Name nicht eindeutig festgestellt werden konnte. Den ersten Hinweis fand die Polizei in einem schweren Buch, das aufgeschlagen auf dem Nachttisch seines Hotelzimmers lag: *Richard P.* stand in einer schülerhaften Schrift auf dem Vorsatzblatt. Erst Wochen später kam Gewißheit auf, daß es sich bei dem Getöteten um einen jungen Mann aus Deutschland handeln mußte mit Namen Richard Pettersen. Sein Mörder wurde nie ermittelt.

Als der Vater in Manaus anlangte, um die Leiche seines Sohnes nach Deutschland zu überführen, erwartete ihn eine böse Überraschung: sie konnte nicht gefunden werden. Wahrscheinlich war sie zusammen mit anderen Todesopfern, die lange unidentifiziert geblieben waren, irgendwo verscharrt worden.

Hermann Pettersen hatte viele Nöte und Bitternisse zu erleiden; ohne ein Wort Portugiesisch und mit schlechtem Englisch, mit lauer Unterstützung seitens der deutschen Botschaft, eilte er tagelang von einem Amt zum anderen, nur um verwirrende und ausweichende Auskünfte darüber zu erhalten, was genau mit seinem Sohn geschehen war und wo die Leiche geblieben sein mochte. Er mußte ohne Sarg zurückfliegen.

In Münster wiederum erfuhr man erst ein halbes Jahr später von Richards Tod. Seine Wohnung hatte er gekündigt, keiner der Freunde und Kommilitonen stand mit Richards Eltern in direkter Verbindung. Die Zeitungen berichteten nicht über den Mord. Zufällig verbreitete sich die Nachricht über eine alte Schulkameradin Richards, die ihren Studienplatz nach Münster verlegt hatte. Gerhard hatte sich schon gewundert, weshalb die Briefe des Freundes so lange ausblieben; in immer längeren Abständen zwar, aber doch mit einiger Regelmäßigkeit waren sie bisher eingetroffen.

Nun hatte Gerhard also auch noch Richard für immer verloren. Das brachte ihn dazu, strenger als bisher zu arbeiten. Münster war ihm verleidet. Er wollte möglichst rasch fort. Zwei Jahre später lebte er schon in München, trat dort seine erste Assistentenstelle an und lernte eine Münchnerin kennen, die kurz darauf seine Frau wurde.

Hansis Wege waren komplizierter. Auch sie führten bald aus Münster hinaus. Zunächst nach Zürich, dann nach Berlin, mehrmals zwischen den beiden Städten hin und her, dann endgültig nach Berlin. Einen Abschluß machte er an keiner der Universitäten, an denen er Vorlesungen besuchte. Allerdings erregte er in Berlin einiges Aufsehen, als er in der Bleibtreustraße, nahe dem Kurfürstendamm, eine philosophische Beratungspraxis eröffnete und in großflächigen Anzeigen mit verhackstückten

Blumenbergzitaten dafür warb – *Was ist ein angemessenes Sterbebettfazit? Sorgen Sie rechtzeitig vor!* hieß es da, oder: *Jeder Mensch bestätigt sich darin, gewisse Proben zu bestehen, und er scheitert daran, in ihnen erlegen zu sein. Bei mir lernen Sie besser scheitern!*

Seine Kommilitonen in Münster hatten übrigens richtig vermutet – Hansi war vermögend und konnte tun und lassen, was er wollte. Über die Jahre war sein Vortragsdrang erlahmt. Solange er seine Praxis betrieb, wo er meist in einem weißgekalkten Behandlungszimmer saß und wartete, sah man ihn nicht mehr mit seinen Gedichten und dem verbeulten Blechaschenbecher die Cafés abklappern. Durch die geschickten Anzeigen angelockt, waren in seiner Praxis anfangs einige Neugierige erschienen; sie wurden zeremoniell empfangen und in einen Wassily Chair gesetzt, aber selbst die Verrücktesten unter ihnen kehrten nicht wieder. Hansi war und blieb ein Solitär. Unfähig, Menschen zuzuhören, war er nur fähig, sie von seinem Schreibtisch aus niederzusprechen, wobei er seine Patienten selten ansah, sondern auf ein Acrylbild an der gegenüberliegenden Wand starrte, das einen ins Wasser eintauchenden Schwimmer zeigte. Eine solche Behandlung ließ sich kaum jemand zweimal gefallen, der sich ratsuchend zu ihm verirrt und am Ende der einstündig auf ihn niedergegangenen Tiraden hundert Mark zu erlegen hatte.

Hansis alter Drang lebte aber sofort wieder auf, als die Praxis einging. Allerdings trat er jetzt nicht mehr mit Gedichten an die Wirtshaustische heran, sondern mit selbstentworfenen Traktaten, womit er sich bei den Gästen noch schneller verhaßt machte, als er es mit den Gedichten getan hatte. Auf den Aschenbecher verzichtete er.

Offenbar erschien es ihm unbillig, in der Öffentlichkeit Geld zu verlangen, wofern es sich nicht um eine ästhetische Darbietung handelte, sondern um Weckrufe von ihm selbst.

So schritt die Zeit voran, und Gerhard sollte mit seiner Prophezeiung recht behalten, vielleicht nicht mit dem Wangenzucken, aber mit allem anderen. Beängstigend schnell hatte sich Hansis Verfall vollzogen. Nach wenigen Jahren gab es nicht mehr den schmucken Hansi von ehedem, der Nacht für Nacht durch die Kneipen von Kreuzberg und Charlottenburg geisterte: Hansi war heruntergekommen. Ein geschultes Auge hätte vielleicht erkennen können, daß seine Kleidung einstmals eine sehr gute gewesen war; jetzt war sie abgeschabt und verschmutzt. Das Haar, vor der Zeit grau und schütter geworden, trug er noch immer lang. Mit seinen markanten Zügen sah er fast aus wie Antonin Artaud in den späten Verwitterungsphasen, da fehlende Zähne den Mund hatten zusammenfallen lassen.

Als sich die Mauer öffnete, steigerte sich Hansi in eine große Erregung hinein. So viele neue Menschen, die orientierungslos herumirrten und die es zu wecken galt!

1991, an einem späten Donnerstagnachmittag im Oktober, da das Gewühle im Bahnhof Zoo besonders groß war, faßte er unten in der Halle vor dem Aufgang zu den Zügen Posten. Neben sich hatte er einen alten Pappkoffer gestellt. Einige Minuten fixierte er die Passanten, die, ohne ihn weiter zu beachten, an ihm vorbeiströmten. Mehr aus Gewohnheit, nicht weil er ihn brauchte, nahm er einen Zettel aus der Hosentasche und erhob die Stimme. Hansi hatte nie eine volltönende Stimme besessen, jetzt strengte er sich mächtig an, durch die hohe Halle zu

dringen, und kam darüber ins Kreischen. Mit angespannten Halssehnen empfahl er den Passanten die Heimkehr
zu sich selbst.

Von einer Wüste der Traurigkeit seid ihr umgeben!
schrie er die Leute an, von denen nur wenige zu ihm her-
sahen und noch wenigere ihre Schritte verlangsamten. Sie
dachten, ein alkoholisierter Krawallmacher brülle sie an.

Ratlos! brüllte es aus ihm heraus: Ratlos seid ihr, ratlos
blickt ihr auf das bleiche Ruinenfeld eures widerlichen
Lebens! Ihr in euren Löchern. Raus, rein, überall Löcher.
Schmutzloch! Schmutzloch! Nicht geschenkt haben will
ich eure Löcher. Lochkrepierer seid ihr. In seinem Loch
ist jeder Käfer Sultan, sagen die Ägypter. Die Ägypter
sind weise. Ihr aber seid Käfer! Ihr wollt nicht aus euren
Löchern.

Mit erhobenem Zeigefinger fuchtelte er an der Luft
herum: Zur Sicherheit werdet ihr jetzt alle für tot erklärt
und aus dem Operationsgebiet abgezogen!

Er legte den Finger an die Stirn, als müsse er überlegen,
seine Stimme wurde ruhiger und tiefer: In Afrika ist der
Ausdrucksvolle schön. Wer am ausdrucksvollsten mit den
Augen rollt und am wirkungsvollsten mit dem Kinn zittern kann. So einen Mann holen sich die Mädchen mit
locker schwingenden Armen aus der Runde. Wer mit
dem Kinn zittern kann, hat gewonnen! Her zu mir, sage
ich! Auserlesene, her zu mir!

Wieder fuhr sein Zeigefinger senkrecht in die Höhe,
und wieder setzte das Kreischen ein: Der sich und andere verwirrende Mensch ist der gewöhnliche Mensch.
Das gemeine Aas. Ihr seid die gewöhnlichsten Menschen.
Schmutzloch!

Hier nun zitterte seine Stimme von schwelendem Zorn,

und sein gegen die Leute ausgestreckter Finger zitterte mit: Aber ich weiß zu verhindern, daß ihr weiter wie gewöhnliche Menschen vor euch hinschmutzt. Vor euch steht der Erwählte!

Er erhob sich auf die Zehenspitzen und stellte sich dann fest auf die Füße: Hier – er zeigte mit abgehackter Bewegung auf seine Füße –, hier steht Einer! Einer, der! Hansjörg Cäsar Bitzer. Ordnungsdienstlich. Die Entfernung aus dem Operationsgebiet ist verfügt! Weg! Arschlöcher weg!

Nun wedelte Hansi mit den Armen, als müsse er Fliegen verscheuchen, dann faßte er sich und nahm seine übliche Drohstellung ein: Aber vorher geht der Koffer auf. Der HERR hat gewerkt! Lämmer werden dem Koffer entquellen, nicht falsch, wer jetzt an das Lamm Christi denkt! Nicht falsch, wem jetzt das Kinn zittert, wenn ich die Schlösser schnappen lasse. Auf geht's, ihr Arschlöcher! Glaubt nur, daß es mit euch bald ein Ende haben wird. Wundern werdet ihr euch über meine Lämmer. Ich habe Lämmer dabei, einzigartige Opferlämmer, die nur darauf warten, euch zwischen die Beine zu laufen. Seht, ich hebe jetzt meinen Zeigefinger, wie einst Christus beim Abendmahl den Zeigefinger hob – Hansi hob aber nur kurz den Finger, stürzte sich auf einen Passanten und entriß ihm eine Flasche Coca-Cola, warf sie zu Boden, wo sie splitterte und ihren Inhalt ergoß –, du da, du wirst mich verraten, und du, und du, und du, ihr alle werdet mich verraten! Verräter werden alle aus dem Operationsgebiet entfernt!

Der junge Mann war zu erschrocken, um etwas gegen Hansi zu unternehmen. Weil gar zu absonderlich war, wie sich der Verrückte benahm und was er herausschrie, hatten sich inzwischen doch Neugierige eingefunden, ein altes Ehepaar und ein Kind, eine Gruppe junger Polen. Die Frau hatte den Kopf schiefgelegt, um besser zu hören. Aus gehörigem Abstand heraus schauten sie auf Hansi. Da traten zwei Wachleute von einem privaten Sicherheitsdienst heran und faßten Hansi mit geschulten, unwiderstehlichen Griffen von hinten unter die Arme. Der wehrte sich verzweifelt, drehte wild den Hals, schrie, zappelte, trat mit den Beinen gegen die Beine der Sicherheitsmänner, seine Widerstandsfähigkeit wuchs mit jedem Schritt. Während die Männer ihn zum Ausgang schleiften, schrie er immer wieder nach seinem Koffer und seinen Lämmern. Schrie: Ich bin's, der Stein, der schreit!

Lämmer! das Wort füllte die Halle, während Hansi zwischen den beiden zusammensackte. Sie glaubten erst an einen Trick, ließen den Leblosen vorsichtig zu Boden gleiten, sie stießen ihn, rüttelten an seiner Brust, dann riefen sie den Rettungsdienst, Männer in grellen Jacken, die sich an ihm zu schaffen machten, aber nicht mehr tun konnten, als den Tod des Mannes festzustellen. Als man später den Koffer öffnete, fand man ihn leer. Das heißt, nicht ganz. Eine Bildpostkarte war auf den Grund geklebt mit einem Gemälde von Zurbarán. Es zeigte ein gefesseltes Lamm, erbarmungswürdig in seiner Unschuld, das zarte Reiflein eines Heiligenscheins über dem ergebenen Kopf.

So viele Tode verhältnismäßig junger Menschen. Man wird einwenden, der Erzähler hätte besser daran getan, Verzicht zu üben und nicht mit einer solchen Häufung aufzuwarten, noch dazu nach Art eines Buchhalters, ohne die verflossene Zeit zu durchdringen und die Tode in einem verschlungenen Netz anspielungsreicher Bezüge zu bergen. Ein Erzähler hat aber die Pflicht, auch das Unwahrscheinliche wahrheitsgetreu zu verzeichnen. Möglichst knapp. So wurde in der Geschichte nun mal gestorben, und so wurde es eben festgehalten, festgehalten zum Zwecke neuerlicher Verwandlung, wie sich bald zeigen wird.

Vorher muß aber noch ein anderer Tod nachgetragen werden, kein verfrühter, sondern ein altersgemäßer: nicht wild, nicht zappelig, sondern ruhig in ihrem Bett (allerdings nicht mit gefalteten Händen, denn sobald die beiden Klosterschwestern, die das Bett umstanden, die Hände ineinander zu bringen versuchten, fuhren sie wieder auseinander), den winzigen haubenlosen Kopf hochgelagert auf einem prall gefüllten Kissen, verschied am 12. März 1987 Käthe Mehliss, und zwar mit dem Satz: *Gleich geht's wieder los, ihr werdet sehen!*, wobei sie noch die Kraft fand, das *S* überscharf zu betonen, wie es immer ihre Art gewesen war.

Ein letzter Zweifel sei hier angemerkt: Wir zögern, die Behauptung Wittgensteins ins Feld zu führen, all diese Tode wären jeweils ein ganzes Leben wert gewesen. Waren sie's? Das Gegenteil könnte genausogut der Fall sein – der Tod hat keinen Wert, das Leben allen.

Der Löwe V

Über die Jahre hinweg hatte sich Blumenberg an seinen Löwen gewöhnt. Nach der Emeritierung war es um ihn einsam geworden. Nur selten verließ er das Haus, den Kontakt zu seiner alten Universität hatte er verloren, dem Gewühl des Wissenschaftsbetriebes, dem er sich schon vorher weitgehend entzogen hatte, war er völlig abhanden gekommen. Ihm war nur die Verbindung zur eigenen Familie geblieben; die Innigkeit der Gesellschaft mit dem Löwen hatte sich intensiviert. Er lebte mit ihm wie in einer uralten Ehe. Worte waren nicht nötig, man verstand sich auch so. Zugleich wurde der Umgang etwas lax. Ein Schlendrian im Wechsel von Vergessen, Übersehen und Wiederaufmerken stellte sich ein. Helles Entzücken, das Aufjagen von Ideengestöbern, das der Löwe früher in ihm bewirkt hatte, blieb aus.

Auch der Löwe hatte seine Stimmungen. Blumenberg verstand sich fein darauf. Manchmal hatte der Löwe eine mürrische Nacht und schlief, den Kopf vom Schreibtisch abgewandt, und kein Härchen auf ihm regte sich. Dann mühte sich Blumenberg vergeblich, mit einer Satzkanonade mehr Leben in seinem Löwen zu entfachen. Wenn die Ägypter behaupteten, der Löwe sei stärker als der Schlaf, er wache immer, so traf das auf seinen Löwen nicht zu. Sein Löwe war über weite Strecken der Nacht provozierend schläfrig. Vielleicht verfügten die Ägypter über andere Mittel, ihre Begleitlöwen in einem aufmerksamen Zustand zu erhalten.

Längst war er dazu übergegangen, wie ein alter Freund mit ihm zu sprechen – tu nicht so! stell dich nicht so an! konnte er lakonisch zu ihm hinunterrufen, wenn sich der Löwe wieder einmal weigerte, von ihm Notiz zu nehmen. An der Art, wie der Schwanz zuckte, konnte Blumenberg ablesen, ob es sich um eine nervöse, ungeduldige Reaktion handelte oder ob der Löwe, indem er bedächtig die Schwanzquaste über den Teppich führte, ihm seine Zustimmung bedeutete. In seltenen Fällen ließ der Löwe aus der Tiefe seines Bauchs einen Grimmlaut hören, etwas zwischen einem Seufzer und einem Grunzer, dann antwortete Blumenberg: Ahh! Wieder nicht zufrieden, mein preziöser Kamerad! Er nannte den Löwen einen *Meister des unscheinbaren Ausdrucks*, oder – in Abwandlung eines Satzes, den Nietzsche über sich selbst gesagt hatte – *einen Possenreißer schläfriger Ewigkeiten*.

Mit der Zeit gab es jedoch viele Nächte, in denen Blumenberg seinen Löwen vollständig vergaß. Anfang September des Jahres 1994 blieb der Löwe während der Nacht zum ersten Mal verschwunden. Blumenberg fühlte eine brennende Erregung in seiner Brust. Fortwährend umrundete er den Schreibtisch und das Stehpult. Auch Musik half nicht, ihn zu beruhigen. Er konnte sich ein Buch vornehmen, die Zeitung, er konnte den Fernseher anschalten, nichts half. Immer wieder suchten seine Augen die Fenster ab, ob der Löwe vielleicht vom Garten hereinkommen würde. Hörte er es draußen rascheln, machte er die Tür auf, was ihm gleich unsinnig vorkam. War der Löwe da, vergaß er ihn. Fehlte der Löwe, fühlte er sich beraubt, mehr als das, er fühlte sich bedroht.

Im Bett nahmen die bedrückenden Brustschmerzen zu. Auch der Kopf schmerzte, ihm wurde übel. Er geriet in eine so angsterfüllte Stimmung hinein, als hätte ihn die Katastrophe seiner Jugend frisch geholt. In eine tiefe Ohnmacht gesunken, wurde er tags darauf ins Krankenhaus eingeliefert.

Als er wieder nach Hause zurückkehren durfte, war etwas Unwiderrufliches geschehen. Die gebrechliche Letztzeit war über ihn gekommen. Daran konnte auch der Löwe nichts ändern. Zwar freute Blumenberg, wie ruhig der Löwe während der ersten, wieder im Arbeitszimmer verbrachten Nacht dalag. Alles wie eh und je. Aber es war eine zittrige Freude. Wenn nur die Kraft dazu gereicht hätte, aufzustehen, wäre er zum Löwen hinübergegangen und hätte sich über ihn gebeugt, um mit der Hand über sein Fell zu streichen. Blumenberg war nun über alle Maßen erpicht darauf, seinen Löwen endlich zu berühren, aber allein die Vorstellung, sich niederbeugen zu müssen und dabei womöglich über dem Löwen zusammenzubrechen, hielt ihn in seinem Arbeitssessel fest. Zitternd vor Schwäche saß er wie ein Gefangener darin. Der drei Meter entfernte Löwe genügte nicht mehr zu seiner Beruhigung. Ohne innigen, handgreiflichen Kontakt hatte er dem lahmen, brütenden Stieren in den Tod hinein wenig entgegenzusetzen. Er sah sich als besiegt an und konnte keinen Trost daraus ziehen, daß die echte, die wahre Geschichte immer zu Füßen der Besiegten saß, die den Tod vor Augen hatten. Die feinen theologischen Obertöne, die sein Werk auszeichneten und die der Löwe in seiner Schwindelexistenz zu bestätigen schien, nutzten ihm jetzt, selbst mit Blick auf diesen gewaltigen Zeugen, wenig – es war ihm nicht möglich, frei heraus zu glauben, daß man nicht einfach nur tot sei, wenn man tot ist.

In manchen Nächten stürzte er in eine tiefe Verzweiflung. Alles war umsonst. Umsonst hatte er so hart gearbeitet. Bald würde es niemand mehr geben, der seine Bücher las. Sie würden in Vergessenheit geraten. Er erinnerte sich an manchen stolzen Satz von ehedem, etwa, er werde seine Lebensarbeit nicht im Stich lassen, bevor die letzte Zeile stehe. Solche Sätze kamen ihm nun aufgeblasen vor. Das Verschwinden seiner öffentlichen geistigen Präsenz hatte begonnen. Er war noch nicht tot und schon nicht mehr vorhanden.

Unbemeistert blieben auch Dinge, die ihm früher keine Mühe bereitet hatten, etwa eine der übereinander gelagerten Kisten aus dem Regal zu ziehen, um an alte Aufzeichnungen und gesammeltes Bildmaterial zu kommen. Er wollte das Abbild zweier Löwen finden, die ihre Tatzen in einen Lebensbaum schlugen, konnte die zugehörige Kiste aber nicht herausbringen. Statt dessen fand sich eine alte Zigarrenkiste mit einer vertrockneten Brasil darin, Sorte, die er in den fünfziger Jahren geraucht hatte. Er klappte den Deckel wieder zu.

An Arbeit war nur mehr selten zu denken. Das Verfassen eines Briefs nötigte ihm viel Kraft ab. Selbst die Telephonate mit dem geliebten Redakteur, die er früher so genossen hatte, waren nur noch selten möglich. Es strengte ihn zu sehr an, sich zu konzentrieren. Auch schien der Redakteur zu merken, daß es ihm nicht gutging, was er, Blumenberg, wiederum als peinigende Bürde für das Gespräch empfand. Zwar kehrte in den folgenden Monaten manchmal etwas von seiner alten Kraft zurück, dann konnte er die Arbeit in gewohnter Weise wiederaufnehmen, aber der erfrischte Zustand hielt nicht lange an. Er wußte um die Kürze der Frist, die ihm noch gewährt war.

Am 28. März 1996 fand ihn seine Frau tot im Bett liegen. Eine Spur Löwengeruch hing im Zimmer, aber so gering, daß die Frau in ihrer Aufregung und der herbeigeholte Arzt nichts davon bemerkten. Eine angebrochene Tafel Schokolade von Cailler war dem Toten aus der Hand geglitten. Ein Stückchen Silberpapier lag auf dem Boden. Auf Blumenbergs Pyjamajacke und auf der Bettdecke hatten sich kurze, stumpfe, gelbliche Haare verfangen, die schwerlich von einem Menschenkopf stammen konnten. In dem geschäftigen Hin und Her um den Toten blieben sie unentdeckt. Die Anzeigen, die später verschickt wurden, zierten Briefmarken mit dem Löwen von Lübeck.

Im Inneren der Höhle

Eine Bleibe, hatte Samuel Beckett geschrieben, *wo Körper immerzu suchen, jeder seinen Verwaiser. Groß genug für vergebliche Suche. Eng genug, damit jegliche Flucht vergeblich*. Beckett hatte einen zylindrischen Behälter vor Augen. Oben zu. Kein Entkommen. Nicht allzu hoch, nur sechzehn Meter. Im Kopf des Lesers muß jetzt ein davon verschiedener Behälter entstehen, der allerdings von Becketts *Verwaiser* wichtige Objekte, Lautäußerungen und Gesten empfangen hat, zum Beispiel Leitern, zum Beispiel in abgeschwächter Form das Keuchen, zum Beispiel das selbstvergessene, verlangsamte Spiel der Finger – groß, der Raum, wandelbar groß und größer, kein Raum der Einsperrung, zumindest keiner engen, mit hoher Decke, mit vom Hauptraum ins Unabsehbare abzweigenden Nebenräumen. Licht. Mal schwach, mal stärker, Licht, möglicherweise von überall her kommend, Licht, wie gelenkt vom Auge des Betrachters innerhalb der Höhle, aber ein beharrlich sich gleichbleibendes Licht, wenn auch nur ein Schimmer, vom schmalen Ausgang der Höhle her, allerdings aus weiter Ferne kommend, für müd gewordene Existenzen schwer zu erkennen, schwer zu erreichen. Still hier drin. So still, daß ein einzelner Laut wie gestochen aus dem Schweigen heraus erklingt. Wie ein auf den flachen Spiegel eines Höhlensees aufschlagender Tropfen. Aber es ist unmöglich zu hören, wie die Welt altert, trotz der dringlichen Schärfe, mit der sich jeder Laut zu hören gibt.

Wandelbar auch das Kleid der Höhle. Ein wandelbarer Wall, an dem die Bilder auflaufen. Mal nackte Felswand, mal von aufzuckenden Erscheinungen belebt, mal mit Tapisserien behangen, aus denen einzelne Figuren hervortreten oder hervorhüpfen können, zum Beispiel das Rebhuhn, um, wenn nicht mehr benötigt, wieder in die Tapisserie aufgenommen zu werden und dort ruhigen, rebhuhnhaften Sinnes zu verharren, bis ein neuerliches Herauskommen gewünscht wird. Leitern an den Wänden, auch sie an wandelbaren Stellen. Aber, soweit der Hauptraum überblickt werden kann, derzeit nicht in Gebrauch.

Wenn man nicht wüßte, daß auch der Hauptraum seine Form verändern kann, würde man sagen: in der Mitte des Raums bequem hingelagert sechs Figuren. Teils auf einem alten, etwas fleddrigen Chesterfield-Sofa, teils am Boden gegen Kissen und Stapel von Decken gelehnt. Einer gelehnt gegen den Bauch eines mächtigen Löwen, mächtig auch im Vergleich zu den neben ihm klein wirkenden Menschen: er, Löwe, Blickfang der Höhle.

Nie zuvor hatte Blumenberg so wohlig geruht. Eine zweifelhafte Behauptung. Blumenbergs Erinnerungen an vormalige Ruhezustände waren viel zu blaß, als daß er hier zu Vergleichen befähigt gewesen wäre. Das Atmen des Löwen teilte sich seinem Rücken mit. Vom Löwen ging Wärme aus, eine atmende Heizung umfing ihn von hinten. Der Löwengeruch, unbezwingliche animalische Präsenz verbreitend, streng, aber nicht unangenehm, hüllte ihn ein.

In Blumenberg bildete sich ein *als*. Hier wurde langsamer gedacht als vormals üblich. Es sei ihm nicht schwergefallen, *als* – aber wann? aber was? wohin führte dieses *als*? Die verflossene Zeit konnte er nicht mehr taxieren, die darin geborgenen Handlungen nicht mehr in einen logischen Ablauf bringen. Es war, als hätten sich im logischen Raum seines Denkens Kavernen aufgetan, die nach unbekannten Prinzipien funktionierten. Sein Unvermögen beunruhigte ihn nicht, darum verflüchtigte sich das *als*.

Er schlug die Augen auf, als täte er es zum ersten Mal, erblickte fünf Personen um sich geschart und erkannte sie. Zwei der Namen fielen ihm gleich bei. Käthe Mehliss und Gerhard Baur. Baur, an den er sich aus der Sprechstunde noch erinnern konnte, auch wenn diese Sprechstunde jetzt ferngerückt war, als hätte ein anderer sie abgehalten, fern, als hätte er sich selbst nur für einen vorbeiwischenden Moment im Kopf dieses anderen aufgehalten, der einmal Professor gewesen war.

So kurz ihre Begegnung gewesen sein mochte, Käthe Mehliss hatte sich ihm eingeprägt. Sie trug auch hier ihre weiße Haube, die den Kopf betonte, allerdings erschien sie ihm jünger, als er sie in Erinnerung hatte, während ihm die anderen vier Personen, auch Gerhard Baur, älter vorkamen. Das Mädchen, das immer in der ersten Reihe gesessen hatte, wirkte nicht mehr ganz so jung; die beiden Männer, die wohl auch seine Studenten gewesen waren und an die er sich eher verschwommen erinnerte, waren ebenfalls mittleren Alters.

Blumenberg schloß die Augen und gab sich der Löwenbehaglichkeit hin. Wenn er den rechten Arm ausstreckte und anhob, konnte er ihn auf die linke Schulter des Löwen legen. Alles war gestattet. Der Löwe war allein für ihn da. Blumenberg fühlte Gewißheit, daß er dem Löwen auf den Rücken hätte klettern dürfen, um wie ein Kind auf ihm zu reiten. Der Löwe würde dulden, daß er sein Gesicht in der Mähne vergrub, wahrscheinlich war es sogar erlaubt, ihm ins Maul zu langen und nach den Zähnen zu fassen, geradeso wie er einst seinem Axel mit dem Zeigefinger hinter die vorderen Eckzähne gefahren war, um ein bißchen mit ihm zu rangeln.

Seine Lider senkten sich herab. Unstoffliche Lider behüteten unstoffliche Augen, mit denen aber, war der Wille dazu vorhanden, intensiver gesehen werden konnte als mit herkömmlichen. Kein Grund, zu sprechen oder irgend etwas bewerkstelligen zu wollen. Da spürte er eine kleine Bewegung nahe der linken Hand, oder war es ein Scharren? Er öffnete die Augen – das Rebhuhn war zurückgekehrt, um sich – ja was? – mit ihm zu unterhalten? Blumenberg nahm es behutsam auf seinen Schoß und strich ihm mit dem Zeigefinger vorsichtig über den Kopf. Obwohl sich die Berührung in narrender Scheinhaftigkeit vollzog, war ein Vergnügen dabei, über den federglatten Kopf zu streichen, wobei das Rebhuhn den Kopf zu ihm herwendete und ihn aus einem vollkommen runden, schwarzglänzenden Auge ansah.

Bei dem Gehäusbild von Antonello da Messina habe ich mich falsch besonnen, sagte Blumenberg, da steht natürlich keine Wachtel auf der Brüstung, sondern du stehst da.

Das Rebhuhn nickte.

Die Erinnerung an sein Arbeitszimmer kehrte plötzlich mit überraschender Deutlichkeit wieder: Verzeih, ich hatte keine Abbildung auf dem Schreibtisch liegen, und es war lange her, daß ich sie mir zuletzt angeschaut hatte. Du bist in dem Bild, und du bist es gewesen, du allein, zu dem sich Johannes niedergebeugt hat. Mit dir hat er gespielt, glücklich wie ein Kind.

Das Rebhuhn nickte.

Selbstvergessen, befreit vom Geschäft, in der Anschauung Gottes zu verharren, kitzelte der Gottesmann dich unter dem Schnabel. Du willst mir nicht verraten, was ihr damals beredet habt?

In einem Erschauern lüftete das Rebhuhn sein Gefieder und ließ ein leises Flügelburren hören.

Wie ein einfältiges Kind wird er gesprochen haben, di-di, du-du, da-da, sagte die Mehliss. Von ihrer aufrechten, scharfen Art hatte sie kaum etwas verloren. Sehr gerade saß sie auf einem Stapel Decken, die blickdicht bestrumpften Fesseln mit den schwarzen Lackschuhen überkreuz: Und das Huhn wird halt getan haben, was Rebhühner eben so tun – schnarren!

Das Rebhuhn duckte sich in Blumenbergs Schoß nieder.

Richard hatte eine Hand weit über den Kopf erhoben. In Zeitlupe häkelten seine gekrümmten Finger etwas an der Luft: Ich habe meinem Kater komplette Gute-Nacht-Geschichten erzählt und ihn ins Bett genommen, sobald die Mutter aus dem Zimmer war. Ein fetter, fauler, schwarzer Kerl. Vielleicht war es auch nicht die Mutter. Vielleicht die Großmutter.

Halb liegend, halb sitzend, war er neben Isa tief eingesunken auf dem Chesterfield-Sofa, und nur die am langen Arm erhobene Hand zeigte an, daß er größer war als Isa.

Früher habe ich gern Rebhuhn gegessen, sagte Blumenberg, jetzt, wo ich dich so nah bei mir habe, ist das eine unmögliche Vorstellung, so unmöglich, als hätte das Verzehren von Rebhühnern niemals stattgefunden.

Das Rebhuhn erschauerte in seinem Schoß.

Es sei der scheußliche Lauf der Welt, daß man sie abschieße – verehre, male, abschieße, sich herablasse, mit ihnen zu sprechen, abschieße, undsoweiter, fort und fort, ließ sich etwas vernehmen, das vielleicht das Rebhuhn war. Die Stimme klang erstaunlich tief für einen so kleinen Vogel; jedes Wort wurde allerdings mit einem anfänglichen Glucksen hervorgestoßen, als hätten die Lautwerkzeuge des Tieres, besonders sein Zünglein, Mühe, die menschliche Sprache nachzubilden.

Niemals, überhaupt nie habe ich Hühner gegessen, sagte Isa. Vielleicht als Kind. Aber das änderte sich mit siebzehn, als ich in der Bretagne einen Geflügelmastbetrieb von innen sah. Sie wunderte sich, daß dieser Geflügelmastbetrieb, die Dumpfigkeit der Halle, ihr wieder so deutlich ins Gemüt stieg. Für einen Moment hielt sie inne, um zu überprüfen, ob auch wahr sei, was sie gerade gesagt hatte.

Dem Futter war irgend so ein Gift beigemischt, damit den Hühnern die Federn ausfielen. Alle waren nackt. Alle verletzt. In einer Lagerhalle Tausende von Hühnern, die Luft trüb vom hochgewirbelten Dreck. Unerträglich heiß war's darin. Und überall das Gegacker, aber nicht einzeln, sondern in Wellen. Danach war es mir unmöglich, je wieder ein Huhn zu essen.

Immerhin, sagte Blumenberg, junge Menschen lassen sich von seltsamen Anblicken überwältigen und werden offenbar befähigt, eine Entscheidung zu treffen.

Stimmt aber nicht, sagte Gerhard, ich habe bei euch in der Wohnung mal ein Suppenhuhn gekocht, und du hast die Suppe regelrecht in dich hineingeschlungen, so gut schmeckte sie dir.

Isa wandte sich von Gerhard ab, der linkerhand von ihr, sehr für sich, mit langen Beinen inmitten eines Kissengebirges saß.

Hansi riß ein Streichholz an, ein Vorgang, der sich überlaut, mit einer winzigen Explosion, in Gezisch und Geknister übergehend, bemerkbar machte. Seine Zigarette hatte die Form einer wirklichen Zigarette, und sie glühte auch auf, als er an ihr sog, aber sie war eine gekonnte Lufttäuschung, und die um sie gekniffenen Lippen waren dies nicht weniger. Der Rauch, der beim Ausblasen aufstieg, wurde von keinem Windhauch entführt, nur von der Leere; er war kunstvoll, ein schnörkeliges, verschlungenes Gebilde, das sich langsam entschlang, als würde mit jedem Rauchstoß ein Knoten in Hansis Innerem in die Freiheit entlassen und entwirrt.

In ungewohnt salopper Nähe zu menschlichen Wesen, zwischen den Beinen Richards und Isas, hatte sich Hansi gegen das Sofa gelehnt, beim Rauchen legte er den Kopf weit zurück. Isa rührte mit dem Handrücken an seine Haare, die auf dem Sitzpolster auflagen, falls man diese Haare, gemacht aus hauchdünnen grauen Schattenfäden, noch Haare nennen wollte. Hansi schwieg, und er schien sein Schweigen zu genießen.

Was wir gegessen haben oder nicht gegessen haben, zählt hier nicht, sagte die Mehliss, hier wird jedenfalls nicht gegessen.

Aber die Leiden, die sie durch den Menschen erfahren hätten, die zählten sehr wohl, gab das Rebhuhn zu bedenken. Es hatte sich aufgeplustert und versuchte, würdevoll zu erscheinen, dabei kam es in Gefahr, sich an den Gluckslauten zu verschlucken.

Wir sind nicht dazu da, an alten Hiobsposten herumzukauen, sagte die Mehliss. Das ist nicht der Zweck unseres hiesigen Aufenthalts.

Ein leises Keuchen machte sich bemerkbar.

Was wäre der Zweck? Die große Einhauchung? fragte Hansi, mit dem neuerlichen Ausstoß einer Rauchwolke so intensiv befaßt, daß ihn eine mögliche Antwort gar nicht zu kümmern schien. Die Wolke machte sich waagrecht, in Wellen, davon.

An meine persönliche Wiedererweckung mag ich nicht glauben, das Haptische, das zweifellos Haptische, ist ja dahin. Hansi legte den Kopf noch weiter zurück, schloß die Augen und murmelte: Mein Weltzorn ist auch dahin. Ohne meinen Weltzorn bin ich kaum mehr als das bißchen simulierter Rauch, der in mich eindringt und meiner Kehle entfährt. Es gelingt mir einfach nicht, den Zorn wieder heraufzuholen.

Von allem etwas wissen, von nichts etwas haben, daran muß man sich gewöhnen. Das war die Mehliss.

Hier sehe ich jedenfalls keinen, der das Bedürfnis verspürte, gegen die Höhlenwände anzurennen oder eine Leiter zu erklimmen, um weiter oben nach einem Durchschlupf zu suchen, sagte Gerhard, obwohl es vielleicht ganz einfach wäre, unser Behälter scheint mir nicht sehr solide umwandet.

Der geschlossene Raum erlaubt die Herrschaft der Wünsche, murmelte Blumenberg matt.

Aber die Leiden, die wir durch den Menschen erfahren haben, die zählen sehr wohl. Eigensinnig ließ sich die im Rebhuhn rumorende Stimme nicht vom gewählten Punkt abbringen. Der Mensch bildet sich immerzu ein, nur er leide.

Ganz recht, erwiderte Blumenberg etwas aufgeweckter, das ist der Weltaberglaube seiner Auszeichnung. Er leidet und bildet sich darüber ein, er sei mehr als die übrigen Geschöpfe. In seiner anthropozentrischen Eitelkeit ist er nicht zu bremsen.

Da drüben, im Dunkel, wachsen die Kartoffeltriebe meterlang, sagte Isa und zeigte in ein weiter hinten liegendes Ungefähres. Es ist unheimlich.

Die alte Höhle förderte das Aufkommen unsolider Gebilde. Ort der falschen Fertilität, Ort der trügerischen Nahrhaftigkeit, sagte Blumenberg. Aber wir sind in einer neuen Höhle, in der die platonischen Versprechungen so wenig ziehen wie in der alten.

Hier wird nicht gegessen, hier gibt's keine Kartoffeltriebe, stellte die Mehliss fest, hier werden die Triebe entwildert.

Gerhard wandte ein, es sei jedenfalls nicht zu erkennen, daß man zwecks Seligspeisung mit dem Fleisch des Leviathan beköstigt würde. Vielleicht seien sie nicht gerecht genug dafür. Erpicht auf solche Speise sei er aber nicht.

Seine Augen waren wie die Augen der anderen auf Blumenberg gerichtet, als erhofften sie sich von ihm die wichtigen Aufschlüsse. Aber Blumenberg hatte die Lider wieder gesenkt, sein gelehrter Auslegungsdrang war ihm abhanden gekommen. Für gezielte Abwägungen der geführten Leben zwischen dort und hier fehlte ihm die winzige Dosis Angriffslust, der Antrieb der Sorge, die es selbst für subtile Unterscheidungen braucht. Und in der Runde verlangte man auch keine weiteren Einlassungen von ihm. Ein jeder verlor sich, ein jeder hatte eine Dämpfung erfahren, trudelte in einem Wachzustand umher, der mit dämmrigen Schlafpartikeln durchsetzt war. Einzig die scharfäugige Mehliss erschien um ein weniges wacher als die übrigen. Auf ihren schwarzen Lackschuhen glänzte ein diabolischer Schein.

Das Rebhuhn war Blumenberg inzwischen vom Schoß geglitten, paar Schritte weit war es davongestelzt, hatte sich im Ungefähren verloren, um in der Tapisserie zur Ruhe zu kommen.

Aber wir sind – Richard zögerte und nahm wieder seine Finger zu Hilfe, um an der Luft einen Gedanken zu fassen – wir sind immer noch durstigen Sinnes. In Brasilien habe ich mal ein Faultier gesehen, das – er kam ins Stocken und wußte nicht weiter.

Frei nach Epikur, sagte Gerhard, sind wir in endlose Gespräche verwickelt, wenn auch nicht in griechische, wenn auch nicht in göttliche. So sehr der Sorge enthoben, daß wir uns nur um der Verwicklung willen verwickeln und uns Geschichten erzählen, die wir nicht erlitten haben.

Die, die wir erlitten haben, erzählen wir besser nicht, sagte die Mehliss.

Isa hob den Kopf und sah sich nach beiden Seiten um. Was wir erlitten haben, sitzt oben auf den Leitern und blickt höhnisch auf uns herab. Da oben sitzt mein weißes Kleid und macht Flattersachen.

Flattersachen? wunderte sich Gerhard.

Wischbewegungen.

Das Privileg der Schwachen, Geschichten zu erzählen, murmelte Blumenberg vor sich hin.

Richard hob zur Abwechslung die rechte, dann die linke Hand und bog der Reihe nach die Finger ein, als wolle er rechnen: Alle Schuld zugezählt, alle Schuld weggezählt.

Vielleicht wäre etwas gewonnen, wenn jeder sich anstrengte, die Reste von dem zu erfassen, was ihm bei seinem Hinscheiden widerfahren ist, sagte die Mehliss. Ich erinnere mich, wie trocken sich Bettwäsche anfühlt, wenn man mit der Hand darüber hinstreicht.

Spatzspatz, Spatzl, sagte Isa.

Wir – wir befinden uns in eigentümlicher Schweblage zwischen Heilsanteil und Schuld. Richards Hände suchten eine wägende Bewegung nachzubilden: Um – um – aber dazu müßten wir aufwachen.

Er schwieg eine Weile und fuhr dann fort: War es ein Franzose? Ein berühmter Franzose? Der gesagt hat, Erinnerung bedeute, man sei herausgetreten aus der Ungewißheit des Aufwachens, und darüber schwebe irgendwo ein Engel, der die zurückgewonnene Welt zum Stehen bringt? Die Hände gingen wieder herunter, seine alte Gobelintasche kam ihm vor die Augen, Tasche, die er sich, auch wenn von ihr nicht mehr geblieben war als ein Polster aus Luft, mit einer inständigen Bewegung vor das Herz drückte.

Fleischgehäuse, sagte die Mehliss.

Aufflüge vom Leibkerker, sagte Isa.

Blumenberg öffnete die Augen wieder. Aus der Ferne, schwach, hörte er Signaltöne, ein Pfeifen. Nein, die Erinnerung führte keine Vorstellung heran, woher das Pfeifen gekommen sein mochte, auch keine Bilder, wie der Kranz im Meer schwamm und in der Kranzmitte die Urne im Wasser versank, eine elegante Urne aus gehärtetem Salz, die sich alsbald im Meer zerlöste. Er konnte auch nicht erkennen, daß die Töne von einer Steuermannspfeife herrührten und der Tonfolge entsprachen, die einem Kapitän gebührte, der an Bord seines Schiffes verstarb und zu Wasser gelassen wurde.

Hansi rauchte und rauchte. Er suchte in Gedanken nach dem Bild des Lammes in seinem Koffer – hieß das Wort *Koffer*? Koffer, ja, es hieß Koffer. Er sah die Vorder- und Hinterhufe des Tieres zusammengebunden auf der Plinthe liegen, sah die wölkchenhaft duftige Wolle des Lammes, seinen schwärzlichen Blick, der nach unten ging, aber der Name des Malers entzog sich ihm. Ein Spanier? Flame? Italiener? Alsbald lag da kein einzeln gefesseltes Lamm mehr, sondern Herden von Lämmern aus verheißenen Ländern, aus Dörfern, um Hügel genistet, zogen an ihm vorüber. Das Flotzmaul einer Kuh näherte sich, als wolle sie ihm mit der Zunge übers Gesicht lecken.

Wörter entfielen. Namen entfielen.

Gerhard blickte zärtlich auf die geöffnete Hand in seinem Schoß, als läge darin die goldene Tasse.

Kerzengerade setzte sich Isa auf. Die Kartoffeltriebe kriechen heran und verschlingen unsere Namen.

Hier gibt's keine Triebe. Hier wird nichts verschlungen. Bei mir ist unter der Haube noch alles versammelt, gab die Mehliss zurück. Da erstarb der Glanz auf ihren Lackschuhen und überführte sie der Lüge. Als sie versuchte, sich auf ihre Lieblingskantate zu besinnen, war ihr ein Wort entfallen –

> Adam muß in uns verwesen,
> soll der neue Mensch genesen,
> der nach –
> – nach was, nach wem? –
> geschaffen ist?

Sie zog die Stirn in Falten, während sich der Rest des Textes mühelos einstellte:

Du mußt geistlich auferstehen
und aus Sündengräbern gehen,
wenn du Christi Gliedmaß bist.

Aber sie wollte sich nicht so leicht geschlagen geben. Leise versuchte sie, den Text zu summen, kam dem fehlenden Wort trotzdem nicht auf die Spur. Ungläubig wiegte sie den Kopf – alles war so verwirrend, viel zu verwirrend, um es zu erfassen.

Was in Blumenberg noch an Geistesgegenwärtigkeit war, wurde allmählich trüber, Bilder, Halbsätze drifteten in Schwallen an ihm vorbei, und darin entschwammen einzelne Wörter; wie wesentlich das Entschwimmende war, kam ihm mit sachtem Schrecken zu Bewußtsein, als er merkte, daß er sich nicht mehr an seinen Namen erinnern konnte, auch an die Namen der anderen nicht, die in seiner Nähe saßen. Wie durchziehende Vogelschwärme kreuzten Wörter in ihm, sanken, erhoben sich, pfeilten vorüber, er tastete an den Wortleibern herum, die er kurz zu fassen bekam, probierte Silbenkombinationen aus, ohne Erfolg.

Wie hieß noch? – vage hoffend dachte er, würde ihm der Name eines anderen einfallen, kehrte auch der eigene zu ihm zurück, aber das *noch* hatte den Namen bereits entführt. Selbst der Haubenkopf der Frau, der ihn immer zu präzisen Wörtern angeregt hatte, Kopf, der sich unerklärlicherweise langsam hin und her wiegte und den er dabei mit einem Rest von Besinnungsgier betrachtete, versagte seinen Dienst.

Und doch, wenigstens ein Name kam ihm wieder in den Sinn: Goethe. Und schon wogten einige Zeilen an ihm vorüber:

– nicht mehr bleibest du umfangen
  in der Finsternis Beschattung,
  und dich reißet neu Verlangen
  auf zu höherer Begattung –

Er, der bisher zusammengesunken am Bauch des Löwen gelehnt hatte, machte den Rücken los, setzte die Fußsohlen auf und kam auf die Knie zu sitzen, wo er aufwärts der Gelenke die Schenkel streckte, den Oberkörper hob und mit zitternden Armen die Weite berührte.

Auch der Löwe hatte sich erhoben. Sein Fell glänzte im Licht. Die Muskeln traten hervor, zeigten, wer der Herr war.

Königlich, königlich schollernden Klanges fuhr *Blumenberg!* aus dem Rachen des Löwen. War der Mann in der Höhle bisher nicht viel mehr gewesen als Luft an der Luft, schien auf den Namenszuruf hin eine andere Materie ihn zu befüllen. Lichtsendendes Blut zirkulierte in seinen Adern. Er strahlte und zitterte und hielt die schwankenden Arme weit ausgebreitet. Da hieb ihm der Löwe die Pranke vor die Brust und riß ihn in eine andere Welt.

Dank

Von Anfang an hat mir Bettina Blumenberg klug und freiherzig geholfen. Die fremde Sicht auf ihren Vater hat sie großzügig respektiert, mit Witz meine tastenden Versuche begleitet.

Gespräche und der Austausch von Briefen mit Michael Bernhart, Ursula Flügler, Friedhelm Herborth, Michel Krüger, Dietrich Leube, Ernst Osterkamp, Klaus Reichert, Claudia Schmölders, Hermann Wallmann und Uwe Wolff haben mich ermuntert. Einige von ihnen haben mir Materialien zur Verfügung gestellt, insbesondere Michael Bernhart und Uwe Wolff. Dank gebührt auch meiner Lektorin Julia Ketterer.

Nach korrekten Blumenbergzitaten wird man vergeblich suchen. Aber Halbsätze, Kurzprägungen, abgewandelte Gedankengänge, einzelne Wörter habe ich dem verehrten Philosophen entwendet. Wo immer er jetzt weilen möge: ich verneige mich vor ihm und bitte um Nachsicht.

Inhalt

Sibylle Lewitscharoff
Apostoloff
Roman
st 4180. 248 Seiten

Zwei Schwestern, unterwegs im heutigen Bulgarien. Auf der ersten Hälfte ihrer Reise waren sie Teil eines prächtigen Limousinenkonvois, der die Leichen von 19 Exilbulgaren – in den Vierzigern von Sofia nach Stuttgart ausgewandert – in ihre alte Heimat überführte. Darunter der frühverstorbene Vater der Schwestern. Jetzt sind sie Touristinnen, chauffiert vom langmütigen Rumen Apostoloff. Er möchte den beiden die Schätze seines Landes zeigen, aber für seine Vermittlungsversuche zwischen Sofia und Stuttgart zeigen die Schwestern wenig Sinn. Zwei Schwestern, ein Fahrer: Ihre Reise durch Bulgarien wird zur rabenschwarzen, erzkomischen Abrechnung mit dem Vater und seinem Land.

»*Apostoloff* steckt voller Grimm, Sprachwitz und Übermut. Sprühende, vergnügliche Literatur.« *Volker Hage, Der Spiegel*